비로소 내가 되었다

강렬-하다[1] 剛烈- / 형용사
성질이 세차고 매섭다.

비로소 내가 되었다

저 자 백결

발 행 2023년 12월 12일
펴낸이 한건희
펴낸곳 주식회사 부크크
출판사등록 2014.07.15.(제2014-16호)
주 소 서울특별시 금천구 가산디지털1로 119 SK트윈타워 A동 305호
전 화 1670-8316
이메일 info@bookk.co.kr

ISBN 979-11-410-5927-9

www.bookk.co.kr

비로소 내가 되었다

백결

BOOKK

차례

비로소 내가 되었다

…그 특이한 미친놈은 며칠 전부터 매일 밤마다 앤도버의 마을을 차례로 돌며 거리를 배회했다. 항상 같은 시간에 나와 같은 경로로 돌아다니는 그 젊은 사내는 특유의 떡지고 엉킨 긴 머리에 후줄근한 옷차림이 눈에 띄는 이상한 사람이었다. 남들의 시선 따위는 아랑곳하지 않았으며, 연신 작게 기괴한 소리를 내뱉는데, 그것이 절대 사람의 목구멍에서 나올 수 없는 소리였다는 사실이 그가 미친놈이라는 별칭을 부여받는 데에 큰 기여를 했다.

마을의 주민들은 이름조차 알 수 없는 그를 아니꼽게 여기며 경계했지만, 실제적으로 피해를 준 사례는 없어 그저 미친놈으로 취급하며 무시하기로 했다.

밤이 깊어지자, 그날도 그는 알 수 없는 곳에서 밖으로 나왔다. 그가 지나갈 때마다 사람들의 시선을 사로잡는 것은 일상이라 사람들의 욕을 한 바가지씩 얻어먹는 것도 그에겐 이미 익숙했다. 아니, 그는 전혀 신경 쓰지 않는 것처럼 보였다. 그 누구도 그가 무슨 생각을 하는지 알 수가 없었다.

"저 미친놈 또 지나가네." 작은 생선 가게를 운영하는 상인이 그가 길거리에 보이자 가게를 정리하다 말고 밖으로 나와 혀를 끌끌 찼다.

그는 사람들에게 언제나 '미친놈'으로 불리었다. 그의 행동을 직접 본 사람이라면 누구나 다 그렇게 부를 것이다. 그렇게 사람이 미쳐있을 수가 없었다.

"존재부터 민폐일세." 생선 가게와 맞닿아있는 술집에서 나이 많은 바텐더가 나와 그녀의 말에 대꾸했다.

"왜 저러는지 모르겠어."

"사랑하는 여자를 잃고 미쳐버렸다지? 사람들이 그러더군."

"그런 거 믿지 마. 다 지어낸 얘기지. 대화도 안 되는 사람한테 뭘 듣겠어."

"하긴, 사람들이 요즘 로맨스소설에 미쳐 사니. 아니면 별 미친 사람에게 시시콜콜한 사연을 붙이는 것이 이 동네 관습이었는가?"

"저 남자, 언제쯤 그만 돌아다닐는지."

그 미친놈에 대한 사람들의 시선은 이미 부정적인 편이 많았다. 애초에 그를 미쳤다고 생각하고 이유에 걸맞은 별명인 '미친놈'이라고 부르던 사람들이었으니까.

그리고 그런 그에게 여러 가지 헛소문과 사람들이 갖다 붙인 크고 작은 막장소설이 달라붙는 것도 자연스러운 일이라. 사람들이 그에 대해 떠들어댄 이야기들이 전부 사실이라면 그는 지금까지 다섯 번의 살인을 하고 세 번의 사랑하는 여자를 잃고 여덟 번의 파산을 경험한 후 여섯 번의 자살시도를 실패하고 미쳐버린, 그런 사람이라는 것이었다.

그러나 그런 그가 동네의 구경거리로 전락했을 때, 사건은 기어코 터지고야 말았다.

같은 시간, 갠치는 식탁에 잔을 내려놓고는 술집에서 나왔다. 그는 범죄조직에서 활동했던 경험이 있었는데 깔끔한 정장차림에

키는 7피트 2인치가 족히 넘을 것 같은 거구의 소유자였다.

"샴페인이 부드러워 목 넘김이 좋더군요. 지폐는 카운터에 올려두었고 거스름돈은 술에 대한 제 애증이니 받지 않겠습니다." 그가 바텐더에게 인사를 건넸다.

그는 이 말을 끝으로 두 상인을 뒤로하고 곧장 미친놈에게 성큼성큼 걸어갔다. 미친놈은 그의 인기척을 느꼈지만, 그다지 신경 쓰지 않았다.

"멈춰봐." 갠치가 그의 앞을 가로막고 자신의 큰 덩치를 과시하며 그에게 소리쳤다.

그러나 미친놈은 멈추지 않고 그를 지나쳐갔다. 갠치는 미친놈을 노려볼수록 그의 신비롭고 기괴한, 그런 알 수 없는 분위기에 압도당한다고 느꼈다. 하지만 미친놈은 그를 전혀 신경 쓰지 않았다.

그렇게 갠치의 주먹질에 미친놈이 바닥으로 세게 엎어진 것은, 그가 미친놈에게 멈추라고 말한 후 3초나 지났는데도 그 미친놈이 멈추지 않아 발생했다. 하지만 미친놈은 피를 조금 흘릴 뿐, 조금도 아파하는 내색 없이 다시 일어서 가던 길을 갔다. 그 미친놈은 그를 조금도 신경 쓰지 않았다.

곧 일방적인 폭행이 시작되었다. 멀리서 지켜보다 놀란 상인들은 혹여나 이 사건에 연루될까 허겁지겁 가게 안으로 들어가고, 한밤중 어느 깡패의 이유 없는 폭행은 30여 분간 계속되었다. 한껏 얻어터진 미친놈은 그대로 땅바닥에 쓰러졌고, 갠치는 그를 두고 자리를 떴다.

그 이후부터 미친놈에 대한 소문은 더 안 좋은 방향으로 흘러갔고, 그를 혐오하는 사람들은 날로 늘어갔다.

그날 이후 갠치와 함께 마을에서 실종되어 지금까지 그들의 행방은 알 수가 없다. 물론 그 '미친놈'의 정확한 생사여부까지도….

이것은 당시 그 마을에 놀던 소문이다. 꽤나 섬뜩한 데다 그리 오래된 일도 아니었기에 순식간에 퍼져나갔다. 여러 사람의 입을 거치며 변형되고 왜곡된 면이 없지 않아 있었지만 사람들은 입을 모아 이 소문의 근본적인 사건은 실제로 일어난 일이었다고 말한다.

다른 도시에서도 그 미친놈을 봤다는 목격담은 날로 늘어나고 있다.

비로소 내가 되었다

서서히 정신이 들었고, 어느 순간 갑자기 쿵 하며 떨어지는 느낌이 들자 화들짝 놀라며 잠에서 깼다. 몸은 아팠지만 머리가 개운한 것을 보니 꽤 오랫동안 잔 모양이었다. 고개를 돌려 창밖을 보니 해가 저물고 있는 늦은 저녁 즈음이었다. 나는 차갑고 먼지가 조금 쌓인 바닥을 딛고 침대에서 일어나 식탁 위에 있던 생선과 감자로 간단히 허전한 배를 채웠다.

당장 내가 무엇을 해야 할지, 무엇을 하다 잠들었는지는 생각이 나지 않았지만, 그것은 그렇게 중요한 것이 아니었다. 사실 나는 왜 내가 낮잠을 자고 저녁이 돼서야 일어났는지도 몰랐다. 알 필요도 없었다.

오늘따라 왠지 모르게 어색한 느낌이 나는 책상 위에는 작은 회중시계에 들어가는 부품들이 잔뜩 널브러져 있었다. 나는 할 짓 없이 그것의 개수를 세던 중, 밖에서 들리는 누군가의 발소리를 들었다.

차분하고 일정한 간격으로 들리는 둔탁한 발소리는 점점 커졌다. 이윽고 내 집 문 앞에 멈춰 선 발소리의 주인공은 잠시 뜸을 들이더니 현관문을 두드리기 시작했다.

어둡고 조용한 상황 속에서 들리는 정체를 모르는 사람의 노크

소리가 정적을 깼다.

"다니엘? 안에 계신가?"

문도 열지 않았는데 문 밖의 *그가* 웬 의문의 이름을 불러냈고, 나는 천천히 다가가 아주 조금 문을 열고 그 틈으로 밖을 확인했다. 모자를 눌러쓰고 제복을 갖춰 입은 중년의 남자가 문 앞에 서 있었다. 얼핏 보기에 그는 경찰이었다.

"누구세요?" 그에게 물었다.

"나일세, 앤드루 경. 오랜만이군." 그가 답했다.

처음 보는 그는 내게 친한 척을 했다. 해가 지는 노을이 그에게 역광으로 비춰 그의 각진 얼굴에 근엄함을 더했다.

"오랜만이라뇨? 당신이 기억나지 않을 정도로 오랜 시간이 흘렀나보군요. 아니면 잘못 찾아오셨거나."

나는 그를 돌려보내려 했다.

"내 생각엔 아주 잘 찾아온 것 같소. 다니엘 군에게 할 말이 있네."

그는 자꾸 다니엘이라는 사람을 찾았다. 그러나 이 집에도, 내 지인들 중에도 다니엘이라는 사람은 없었다.

"…낮술은 몸에 해롭다네." 그가 내 어깨를 토닥이며 속삭였다. "아무리 해가 지고 있다지만. 벌써 취했다간 간밤에 고생 좀 할 거요."

순간 어색한 침묵이 흘렀지만, 그 이유를 알 수 없었다.

"뭔가를 잘못 먹은 게 분명하군. 장난치는 겐가? 내가 장난을 못 받아줄 정도로 유쾌한 사람이 아니라 유감이오."

"지금까지 장난이 아니셨군요."

"다니엘 군, 내가 퇴근시간을 미뤄가며 자네를 찾아온 것에는 이유가 있소. 내 말을 들어보게." 그가 말했다.

"제가 다니엘이라는 겁니까?"

앤드루 경이 말없이 고개를 끄덕였다.

그는 당연하다는 듯이 틀린 말을 하고 있었다. '다니엘'이라는 이름은 생전 처음 듣는 이름이었다. 그걸 지금 내 이름이라고 하고 있는 거다. 처음 보는 사람이 내게 내 이름을 새로 지어주는 이 황당한 상황의 전말을 알 수 없었다.

"충분히 유쾌하시네요." 그에게 딱 잘라 말했다. "오히려 저는 다니엘이 아니라 유감입니다."

"진심으로 다니엘이 아니라고? 그럼 자넨 누구인가?" 그가 한숨을 내뱉었다.

"그야…."

아, 어?

순간 내 이름이 기억나지 않아 머릿속엔 혼란이 왔다. 당혹스러움에 "그야"만 반복하고 있는 내 모습은 얼핏 보기엔 곧바로 거짓말로 둘러댈 말을 생각해내지 못하여 시간을 벌고 있는 사람이었다.

아무렴 어떠한가. 중요한 것은 내가 다니엘이 아니라는 것이다.

"지금은 장난을 받아줄 상황이 아니오, 다니엘 군." 앤드루 경의 엄격함이 부각되었다.

"무슨 말이 하고 싶으신 겁니까?"

"듣게나. 며칠 전에 자네 누이가 살해당했네. 그 킹스크로스 살인사건 말일세." 그가 반듯이 눌러쓴 모자를 슬며시 벗으며 말했다. "정말 유감일세."

그러나 그 순간 알게 된 것은 내가 생각 외로 감정을 느끼지 않는 사람이란 것이었다. 살해당했다는 말에 그 어떠한 감정적인 동요는 없었으며, 사람이 죽었다는 자극적인 요소 자체에 더 이끌리는 듯했다.

"처음 알았습니다."

"흠, 킹스크로스 기차역 뒷길에서 사람 둘이 죽은 살인사건에 대해 전혀 모르는 것인가?" 앤드루가 심각한 표정을 드러내며 물었다.

"모릅니다."

"그것조차 유감일세."

"별게 다 유감이네요."

"참, 오늘 왜 이러는지. 며칠 전에 킹스크로스역 뒷길에서 사람 둘이 죽었소. 살인사건인데, 사망자 중 하나가 다른 하나를 살해하고 그 자리에서 자신도 같이 자살했다고 추정하고 있소만…, 정말 몰랐단 말이오?"

"왜 그런 추정을 하는 겁니까?" 그에게 물었다.

"현장에서 발견된 건 총기 한 자루뿐이었고, 두 시체에서 모두 총에 맞은 자국이 발견된 것이 그 근거일세. 각각 복부와 머리…"

"제 말은, 왜 그런 의미없는 추정을 하고 계시냐는 겁니다. 사람은 이미 죽었고 그들이 어떻게 죽었는지 밝혀내서 할 수 있는 것이 있습니까?"

앤드루 경의 표정이 어두워졌다.

"남는 것이 있던가요?"

"…난 그저 죽은 그녀에게 남은 가족이 자네밖에 없어서 자네를 찾아왔소만, 어쩌면 그녀에게 남은 가족은 없는 걸지도 모르오."

"경찰이세요?"

"당연한 걸 또 묻고 있나. 정말 왜 그러는가?" 앤드루 경은 슬슬 짜증을 냈다.

누나가 살해당했다는 말에 그렇다 할 감정이 느껴지지 않은 것은, 아마 내가 애초에 누나를 포함한 어떠한 형제도 없다는 사실이 그의 말에 오류가 있다는 것을 알려주고 있던 것도 큰 영향을 끼쳤다.

나는 그냥 그의 이야기를 들어줄 뿐이었다. 본래 혼자 착각하고 열심히 떠드는 사람이 제일 불쌍한 법이라지만.

"혹시라도 다니엘을 만난다면, 내게 알려주게."

앤드루 경은 이렇게 말하고 이내 뒤돌아서서 경찰서로 돌아갔고, 나는 그의 점점 멀어지는 형체가 완전히 사라질 때까지 그를 주시했다. 그가 어느 건물의 모퉁이를 끼고돌며 형체가 사라지니 이윽고 나를 제외하고 아무도 없는 것 같은 이 휑한 거리에 검붉은 하늘빛만이 스며들었다.

다짜고짜 찾아와서 내게 내 이름을 가르쳐주고 있는 앤드루 경은 어쩌면 상황의 심각성을 전달해 주는 매개체로 해석될 수 있을 것이었다. 그리고 이는 곧 그 살인사건이 단순한 소동으로 마무리될 것 같지는 않을 거라는 결론을 도출해 냈다.

문을 닫고 들어와 정신을 차리고 생각을 되짚어 보기 시작했다. 분명 '나의 이름이 무엇인가?'부터 시작한 기억 되짚기는 그냥 모든 것에 의문을 둔 채로 끝이 났다.

그러나 시간이 지날수록 내가 그냥 기억을 통째로 잃은 사람이라는 의심은 점차 확신이 됐다. 그것을 이제야 깨닫다니. 도저히 내가 누구인지 기억나지 않았다. 여기가 어딘지, 어쩌다가 기억을 잃었는지는 물론이요, 이름, 나이, 가족까지도 기억나지 않았다.

아, 이런. 기억과 삼성을 농시에 잃어버린 무능한 나라는 사람이 앞으로 어떻게 살아갈지는 기대조차 되지 않았다.

마치 다시 태어난 기분, 혹은 어떠한 정보도 없이 다른 세상에 온 기분. 그 순간에 내가 느꼈던 전부였다.

기억이 끊긴 거냐고? 그렇지 않다. 지금이 아닌 기억이란 존재하지 않았다. 그냥 기억이 하나도 없는 상태였다.

또 내게 누나가 있다는 앤드루 경의 말은 내겐 아직도 그저 거짓말처럼 느껴지는 여느 소리에 지나지 않았다. 나에 대해 하나씩 모든 것을 되짚어볼 때마다 기억나는 것은 어찌 하나도 없었다.

책상에 고이 놓여있는 깨진 회중시계와 작은 부품들은 내가 이전에 시계공이라는 직업으로 생계를 유지해 왔다는 것만을 보여주었다.

그럼 내가 정말 다니엘 본인일 확률은 없냐고? 절대 없다. 이윽고 난 낡고 그을린 종이 조각이 덕지덕지 붙어있는 작업 상자 위에서 '클로드 필립'이라는 이름을 발견했으니까. 확실히 누군가에게 주워들은 다니엘보다는 내 집에서 발견한 클로드가 더 익숙한 것이 내 이름임에 틀림없었다.

창문에 비친 내 모습을 확인했다.

밖은 해가 마지막 빛을 뿜어대며 노을 지고 있었고, 어두운 집 안을 비추는 건 작은 조명뿐인지라 내 모습이 잘 보이지는 않았지만, 난 그 창문 너머로 스무 살쯤 되어 보이는 기력 없이 축 처진 낯선 남자와 눈을 마주쳤다. 그는 목까지 내려오는 엉킨 머리카락이 눈에 띄었고, 그런 어색한 얼굴을 마주 보면서 이상하고 묘한 감정을 지울 수 없었다.

기억을 잃고 처음 보는 만큼 내 모습은 내게 강렬한 인상을 주었다. 지금까지 이 얼굴로 살아왔고 앞으로도 이 얼굴로 살아야 한다는 사실을 뒤늦게 깨달은 기분이었다.

나는 곧 시선을 조금 돌려 밖을 바라보았다. 내 눈의 초점이 창문에 비친 내 모습에서 창밖에 있는 거리의 모습으로 옮겨갔다. 해가 지면서 검붉게 얼룩져버린 하늘과 어둑어둑한 거리를 몇 개의 가로등만이 나란히 자리를 지키면서 은은하게 밝히고 있었고 양옆으로 높은 건물들이 들어선 바람에 좁아 보이는 돌 도로가 깔린 거리에는 사람들은 물론 개미 한 마리도 보이지 않았다. 기억을 잃었다는 사실이 쓸쓸함을 더했다.

나는 누구일까? 왜 이전의 기억이 없는가? 생각이 들수록 내가 눈을 뜨기 이전에 있었던 일들에 대한 궁금증은 커져만 갔고, 스스로 내 정신 상태가 이상함을 느꼈다(그렇다고 병원에 가서 치료받을 마음은 눈곱만큼도 없었다. 그냥 이렇게 살고 말지.). 그런 나의 첫 노을은 그리 아름답지만은 않았다.

밖에서 들리는 보이지 않는 까마귀의 울음소리와 내가 조금씩 몸을 움직일 때 들리는 작은 옷 소리만이 내 귀에 나지막이 들려왔고, 때문에 이 거리는 폐쇄되고 버려졌다는 느낌이 물씬 풍겼다.

어디선가 작은 고양이 울음소리가 희미하게 새어 나왔다. 쪼그려 앉아서 바닥을 확인해 보니 어느 고양이가 침대 밑 그림자에 숨어 나를 올려다보고 있었다. 아까는 못 봤는데 어디서 숨어 있다가 나온 듯 보였다. 내가 키우던 고양이였는지는 모르지만 어딘가 익숙했다. 이름 모를 고양이가 나를 견제하지는 않는 것이 반려묘였을 가능성이 컸다. 작고 흰 그 고양이는 침대 밑과 책상 밑을

번갈아가며 기어 다녔다.

지금까지 어떤 인생을 살아왔길래 누나가 죽고 남은 가족이 없게 되었을까. 허무한 의구심만이 금방 삶의 지루함을 느껴버린 나의 머릿속을 가득 채웠다.

모든 기억을 잃은 내가 지금 할 수 있는 것이라고는 창문 밖에 보이는 건물들의 창문 개수를 세거나 과거의 내가 수리하던 시계를 구경하는 것뿐이었다. 시계공이라는 직업으로 먹고살았을 내가 지금 이 시계를 구경밖에 할 수 없는 신세가 되었다는 생각에 기분이 이상했다.

하나 나는 단숨에 온갖 태엽들이 복잡하게 얽힌 시계의 매력에 푹 빠져버렸다. 시계가 망가질까 봐 함부로 만지지는 않았지만, 회중시계의 용두를 조심스레 돌리자 복잡했던 시계 속이 더 복잡하게 돌아가기 시작했고 그에 맞춰 시곗바늘도 작은 소리를 내며 돌아가기 시작했다.

그 소리는 공허하고 쓸쓸한 지금 나와 이 분위기를 잘 표현했다. 또한 앞으로의 삶이 평범하지는 않을 것이라는 전조라는 느낌이 들기도 했다.

오래되고 낡은 책장을 뒤졌다. 언제부터 꽂혀있었는지 모르는 남빛 책이 눈에 들어왔다. 수십 년 전에 쓰인 피에르라는 작가의 아주 오래되어 보이는 수필집, <흑백기억>이었다. 나는 이제 막 먼지를 턴 소파에 앉아 먼지가 가득한 책을 펼쳤다. 글자는 좀 지워졌지만, 읽는 데에는 전혀 문제가 없었고, 나는 빨려 들어가듯 그의 책을 읽어 내려갔다.

「(전략)

…1852년 3월 10일. 요즘은 그야말로 내 소설가 생활의 전성기다. 소설을 낼 때마다 매진되는 이 영광을 여러분과 함께 누리고 싶다. 인간은 항상 겸손해야 한다마는, 자랑을 조금 보태어 지금 나는 누구도 부럽지 않다. 어쩌면 나는 글쓰기를 위해 태어났다고 해도 과언이 아니지 않을까 생각한다.

어제인 3월 9일, 나는 또 판매기록을 세웠다. 인간의 욕심과 그에 따른 벌을 소재로 한 소설, <아름답다는 시선>이 영국 소설 시장 최초로 발간된 지 24시간 만에 1만 부를 판매하고 베스트셀러 1위의 자리에 오르게 되었다. 전부 사랑하는 독자들 덕분이고 그것에 너무 감사하다.

지금 당신이 읽고 있는 이 책은 딱히 스토리도 없고 단순히 내 이야기를 쓰는 수필집이라 발간되어도 큰 판매량을 기록하지는 않을 것으로 예상되지만, 나는 그저 이 세상과 당신에게 내 이야기를 들려줄 수 있는 수필집을 낸다는 것에 기쁘다.

내게 더 이상 글쓰기는 노동이 아닌 삶의 낙이 되었고, 그 기세에 지금 또 신작소설을 쓰고 있다. 중세시대 끔찍했던 전염병인 '흑사병'을 소재로 한 소설인데,

하루빨리 완성하여 여러분들께 보여주고 싶을 뿐이다.

나는 지금 내가 쓰고 있는 이 소설 또한 여러분들이 좋아해 줄 것임을 확신한다. 그것은 지금까지 그래왔고, 여러분들이 계속해서 꾸준한 응원을 보내주었기에 그런 확신이 가능한 것 아닐까 생각이 든다.…

(중략)

···1832년 8월 14일, 내가 세상에 나온 날이다. 본래 프랑스 리옹에서 태어났지만 2살 무렵 런던에 위치한 외딴 주택으로 이민을 와 그 뒤로부터 약 15년을 보냈다. 주택 입구에는 두 마리의 사자 석상이 우리를 지켜주고 있고, 마당으로 들어서면 멋진 말 석상이 가운데에 위치한 분수대가 눈에 가장 먼저 들어온다, 거기서 흐르는 물은 정말이지 맑고 투명하다. 부족한 것 없이 유년시절을 보내게 해 준 아름다웠던 생가가 아직도 기억에 선명하다. 그래도 나름 평범하게 유년시절을 보낸 편이었는데, 유명한 소설가가 되게 해 주심에 백 번이고 천 번이고 감사드린다.···

(하략)」

*

의미 없이 시간만 흘려보내던 나의 머릿속엔 온통 앤드루 경이 언급했던 킹스크로스역 살인사건뿐이었다.

기억을 전부 잃고 가장 먼저 들은 말이기도 했고, 어쩌면 그것이 이 방황의 시간을 조금이나마 단축시킬 수 있을 거라 생각했다.

현관문을 살짝 열고 나가보니 대여섯 개의 신문들이 쌓여 있었다. 이 낡은 신문들을 뒤적였다. 며칠이 지난 오늘 자까지도 전부 킹스크로스 살인사건에 관한 기사들로 도배되어 있었다. 앤드루 경이 이 사건을 모르고 있던 나를 걱정스럽게 여겼던 것이 이해되었다.

[신문 기사 / 1887년 9월 23일 자]

「'킹스크로스 살인사건, 두 명 사망. 최고의 증기기관차 역 일부 봉쇄…'

거대한 규모로 개업하여 런던의 상징물이 된 킹스크로스 기차역에서 며칠 전 사망자가 발생했다. 인적이 드문 뒷길에서 일어난 이 살인사건은 두 사망자 모두 현장에 있던 작은 미국제 리볼버 한 자루로 인해 사망하였다. 각각 복부, 머리에 총상이 있었으며, 한 명이 다른 한 명을 살해하고 자신도 그 자리에서 자결한 것으로 추정된다. 사건의 전말을 조사하기 위해 런던 내 지역 경찰 측에선 역을 장기간 봉쇄하겠다는 입장을 내놓았다.」

신문 뒷면에는 작게 그려진 런던의 지도가 있었는데 '킹스크로스역'이 큼지막하게 적힌 것을 보면 이 기차역이 나름 이 도시의 상징물임을 알 수 있었다.

대단하진 않지만 이 실낱같은 의문이 의외로 의지 없는 삶에 도전을 던져주는 느낌이었다.

그것은 분명 작았지만 나는 그 소음에 시달렸던가.

중저음의 속삭이는 환청에 혼란스러운 머릿속을 정리하고 나니 해가 뉘엿뉘엿 지고 있는 거리로 나와 있었다. 킹스크로스역으로 가기 위한 구체적인 목적도 없었는데 뭘 하겠답시고 나왔던 걸까.

누군가 나를 부르는 소리에 내 두 다리가 스스로 움직였다. 존재만으로 신비로운 기운을 뽐내며 내 귀에 속삭인 그이의 실존여부는 알 수 없었고, 그가 하는 말은 분명하게 활자로 바꿀 수 없었지만, 그 소리는 명확했다. 연신 '클로드 필립'을 외며 그는 나를 기차역으로 불렀다. 그가 킹스크로스 살인사건에 관련된 인물이라는, 그런 시답잖은 상상 따위는 하지 않았지만 내 이름을 불렀다는 점에서 내 이목을 끌만했다.

신문 뒷면에 삽입되어 있는 작은 지도를 보며 기차역으로 향했다. 초행길이었으나 얼마 안 가 멀리서부터 그 형체가 보이던 탓에 지도는 딱히 필요가 없었다.

역시나 꿈에서 봤던 그 기차역이었다. 생각했던 것보다 큰 건물이었다.

밖은 처음 눈을 떴을 때보다 비교적 더 어두워졌지만 그런 것 따위는 크게 문제가 되지 않았다. 오히려 봉쇄되었다는 기차역에 들어가려면 지금 시간이 딱 좋았다.

살인사건 현장이 되어 며칠째 봉쇄된 기차역의 출입문은 하나같이 굳게 닫혀있었지만 기차역 외각을 따라 돌다가 가장 작은 뒷문이 살짝 열려있는 것을 발견했다. 살짝 힘을 주어 문을 밀자 뒷문은 소리 없이 그대로 열렸다. 외벽 한편에 철로를 가로막고 있는 잔해들과 보수공사의 흔적들 또한 살인사건 현장이라는 타이틀과 함께 기차역의 문을 굳게 닫고 있었다.

뒷문을 통해 들어간 기차역의 내부는 거대했지만 아무도 없어서 너무나 휑했다. 약간의 달빛만이 천장의 창틈을 타고 들어와 비추는 어두운 기차역에는 운영이 중단된 증기기관차만이 고독하게 자리를 지키고 있었다.

조용하고 한적한 기차역에는 나를 불렀던 속삭임의 주인을 찾아 돌아다니는 내 일정한 발걸음 소리만이 울려 퍼졌다. 일자로 길게 뻗친 보도블록은 끝이 보이지 않았다. 나는 그 길을 걸으며 봉쇄되기 전 북적이는 사람들로 가득 찬 시끄러운 이곳의 모습을 상상했다.

길게 이어진 탑승구를 둘러싼 긴 벽을 따라 천천히 이동했다. 어둡고 그 끝을 알 수 없는 그 길을 홀로 걸었다.

어느덧 통로의 끝, 뒷길로 이어지는 작은 틈새에서 밝지 않은 빛이 새어 나와 그 주위를 밝히는 것을 발견했다. 어두컴컴한 이 기차역에서 유일하게 빛나는 작은 빛은 어둠과 망각 속에서 헤매고 있는 나를 인도하는 것 같았다. 속삭임의 환청도 전보다 더 커진 상태였다.

그곳에는 실외라고 하기에도, 그렇다고 실내라고 하기에도 애매한, 막힌 천장이 없는 좁은 뒷길이 펼쳐졌다. 내가 발견한 빛은 앞에 보이는 약 스무 명의 사람 중 한 명이 들고 있는 랜턴이었다. 그들은 옹기종기 모여 어떤 중요한 것을 하는 것 같았는데 나는 봉쇄되고 출입이 불가한 기차역에서 무언가를 한다는 걸 보고 그들이 상당히 위험한 짓을 하고 있다고 멋대로 판단했다.

난 그들과 나 사이에 벽 하나를 두고 그들이 하는 것을 엿보았다.

그들은 구석진 공간 가장자리에 각자 자리를 잡아 서로를 마주보고 있었고 그들의 대표로 보이는 한 남자와 여자가 중앙에서 서로 마주보며 거래 같은 걸 하고 있었다.

"돈부터."

"여기, 오만 파운드."

문신이 가득한 남자가 돈을 요구하자 까마귀 가면을 써 얼굴을 가린 여자가 묵직한 가방을 건넸다.

두 무리 중 한 무리의 사람들은 전부 비슷한 문신과 촌스러운 옷차림을 입고 있었고, 다른 무리의 사람들은 전부 깔끔한 코트 차림에 까마귀 가면을 착용하고 있었다. 덕분에 두 부류의 사람들을 구분하기에는 큰 어려움이 없었다.

"의사의 신상정보랑 써니야. 특히 신상정보는 어렵게 구했어." 문신이 가득한 남자가 능글맞은 말투로 말하며 까마귀 가면을 쓴 여자에게 큰 서류 가방과 작은 봉지를 건넸다.

나는 그들이 뒤이어하는 이야기를 엿들었다.

"써니? 이게 뭔데." 까마귀 가면을 쓴 여자가 그에게 물었다.

"긴 세월의 투자가 빛을 발한 약물이야. 먹거나 주입하면 3분 이내로 사망하는데 다른 의약품인 척 팔면 꽤 쏠쏠하게 벌 수 있어" 그가 답했다. "만드느라 고생 좀 했어. 다른 의약품이랑 구분이 절대 안 가."

"뤼디드표 약물이라…. 또 그거군? 미리 말했어야지."

까마귀 가면을 쓴 여자의 목소리가 그 안에서 울려 잘 들리지는 않았지만, 날카로우면서 동시에 절도 있는 것이 은근히 매력적인 목소리였다.

"우리 쪽은 지역 경찰이 또 단속을 시작했어. 치한은 까다로운데 남는 재고는 많아서 말이야." 문신 가득한 남자가 액체가 담긴 병을 보란 듯이 흔들었다.

"아깝잖아."

"대신 팔고 돈을 달라는 거잖아."

"나누자는 거지. 흑향기에게도 이득은 있잖아. 런던에서는 그렇게 엄격하게 단속하지 않더라고." 그가 까마귀 가면을 쓴 여자를 설득했다. "덕분에 니들은 여기서 판을 치고."

문신을 한 남자가 까마귀 가면을 쓴 여자에게 건넨 약물은 그들의 대화에서 언급된 독성 약물로 보였다.

누군가의 신상정보, 독성 약물, 5만 파운드라는 거대 액수의 돈. 나는 그들이 역시나 불법적인 암거래를 하고 있음을 깨달았다. 그들이 봉쇄되어 출입이 불가한 기차역에서 거래하는 이유도 맞아떨어졌다.

문신을 한 남자가 까마귀 가면을 쓴 여자를 계속해서 꼬드겼다. 까마귀 가면을 쓴 여자는 이 또 다른 거래에 수락하는 듯 고개를 끄덕였다.

"사실 이거 때문에 여기 왔어. 거래의 일종이라 생각하라고." 문신을 한 남자가 말했다.

거래를 마무리하는 그들 주위를 세심하게 관찰했다. 아까는 못 봤는데 다들 총을 한 자루씩을 지니고 있었다. 거래가 끝나자 그들은 다시 서로를 경계하며 여차하면 소동이 일어날 것 같은 불길한 분위기를 자아냈다. 잘못 찾아왔나 싶었다.

살인사건 현장은 며칠 만에 정리되지 않을 것이었기에 아직 그 흔적이 남아있을 터, 여기에는 그런 것이 없었다. 기차역은 넓으니 다른 곳을 더 찾아보려면 시간이 많이 걸릴 것이라 생각되었다. 그리고 그 순간.

젠장, 그 과정에서 많은 인파 속에 섞여있는 누군가와 눈이 마주치고 말았다…. 그는 정확히 나를 노려보고 있었고, 곧 그는 소름 돋게 웃으며 둘 사이의 침묵을 지켰다. 그는 홀로 내게 걸어왔다.

나는 그를 보고 소리를 내지 않기 위해 뛰지 않고 빠른 걸음을 재촉하며 뒷걸음질 쳤다. 그가 총을 겨누면 곧바로 죽을 걸 알았기에 등을 보여 도망가지는 않았지만 언제 죽어도 이상하지 않을 상황임에는 변함이 없었다. 누군가가 나를 해칠 목적으로 다가오니 순간 두려움이 엄습해 오고 털은 곤두서고 심장은 쿵쾅댔다. 살고 싶다는 생각이 머릿속을 스쳤지만 현재 상황에 반하는 생각이었다.

가슴 아래까지 내려오는 장발을 가진 그 남자가 사람들을 데리고 나를 쫓아온다면 목숨이 안전할 거라는 보장은 없었다.

장발(그의 이름은 모르지만, 두드러지는 특징은 그저 장발의 머리카락이었다.)은 거래를 행했던 두 남녀 사이를 가로질러 내게 다가왔다. 유일하게 문신을 하거나 까마귀 가면을 착용하지 않은 그는 천천히 다가오다가 어느 순간 속도를 내어 나를 잡으려고 팔을 휘두르며 쫓아오기 시작했다.

나는 뒤돌아 전력으로 달리기 시작했다.

잘 보이지는 않지만 멀리서 보인 그의 얼굴이 섬뜩함을 더했다. 그는 분명히, 소름 돋는 모양새로 내게 질주해오고 있었다.

소란이 없었고 총알 하나 날아들지 않았다. 지금 나를 쫓아오는 것은 장발뿐이라는 것, 순간에 깨달은 사실이다. 그 많던 인원 중 나를 발견하고 쫓아오고 있는 건 고작 한 사람이었다. 자세한 건 몰랐다. 그는 왜 동료들에게 내가 있다는 것을 알리지 않았을까. 그러나 더 이상 깊게 생각할 여유가 없었다.

나는 알 수 없는 괴성을 지르며 쫓아오는 장발을 피해 정신없이 도망쳤다. 내키는 대로만 달려도 이 거대한 기차역은 끝이 보일 생각을 하지 않았다. 나와 장발의 빠른 발소리와 거칠게 헐떡이는 나의 숨 고르는 소리가 나와 이 상황을 더욱 긴박하게 만들었다. 나는 달리고, 달리고, 또 달렸고, 장발은 연신 기괴한 소리를 내지르며 나를 뒤쫓았다.

내가 이렇게 빨리 달릴 수 있다는 사실을 처음 알았지만 과거에 체력이 좋은 사람은 아니었나 보다. 어느 시간 계속 달리니까 다리가 힘에 부치고 숨이 잘 쉬어지지 않았다. 하지만 내가 반쯤 포기한 상태로 뒤를 돌아봤을 땐, 내 뒤에 있는 것은 한적한 공기뿐이었다.

장발은 온데간데없이 사라진 상태였고 나의 터질 듯이 뛰는 심장만이 느껴졌다.

나는 그가 중간에 나를 쫓아오는 것을 포기하고 돌아갔으리라 생각하고 심호흡을 했다. 장발이 나를 잡았다면 어떤 끔찍한 일을 했을지 알 수 없다. 집으로 돌아가면 끝인 것이었다.

이내 장발이 뒤에서 내 어깨를 꽉 잡은 채 나지막이 인사를 건네기 전까진….

두려움이 다시 밀려왔지만 이미 도망가기에는 늦었음을 알고 있었다. 하나 무슨 일인지 당장은 해치지 않는 그였다.

나는 나를 쫓아온 그의 얼굴을 바라보았다. 혈색이 없고 탁한 피부색에 가슴까지 내려오는 어둡고 지저분한 머리카락, 뚜렷하지 않은 형체, 음흉한 미소를 지을 때 신기할 정도로 두드러지는 광대살. 그리고 가장 눈에 띄는 특징은 칠흑같이 어두운 그의 눈이었다.

이런 귀신같은 남자가 자신을 쫓아온다면 그 누구였어도 무서웠을 것이다. 넓은 기차역을 가로지르며 어느 순간부터 혼자 달렸던 민망했던 상황을 수긍하게 되었다.

장발은 그렇게 쫓아오던 나를 따라잡았음에도 나를 해치거나 제압하지 않았다. 그저 소름 돋지만 반가운 얼굴로 나를 바라볼 뿐이었다. 장발의 얼굴은 정말 아무리 봐도 익숙해지지가 않았다. 그리고 그의 작은 목소리는 속삭임의 환청과 일치했다.

"누구세요?"

〚나 잊은 거 맞지? 좋아.〛

장발이 그의 자가운 손으로 내 복 뒷닐미를 꽉 움켜쥐사, 순간 지금까지의 복잡하게 얽히고설킨 감정들이 북받쳐 올라오는 것을 느꼈다.

눈을 뜨기 전의 기억이 전혀 없는 나에게 이런 느낌은 처음이었다. 나는 이 장발이 과거에 나와 매우 큰 연관성이 있었을 것이라고 확신했다.

〚클로드, 반가워서 그랬어. 놀란 거야?〛

"우리 아는 사이야?"

〚…서운하다 참.〛 장발이 히죽거렸다. 〚그래도 잘된 거야.〛

그랬다면 미안하지만 기억을 몽땅 잃었는데 어쩌겠는가.

"기괴하게 소리 내면서 그렇게 쫓아올 필요는 없었잖아."

그가 멋쩍게 웃어넘겼다.

아무튼 내게 호의적인 그에겐 조금 안심이 되었지만 볼 때마다 힘들 정도로 흥측하게 생긴 것은 여전했다. 으, 정말 이 세상 사람의 몰골이 아니었다.

"사람 맞아?"

〚네가 살아있다면.〛

내키지 않는 만남이 끝난 후 나는 장발을 두고 집에 갈 생각이었다. 아무리 과거에 어떤 사이였다고 하더라도 지금 알고 있는 것이 없는 나에게는 중요한 것이 아니었다. 사실 이런 이상한 남자와 알고 지낸 과거의 내가 원망스러웠다.

거래하는 조직들 사이에 껴있던 장발과 알고 지내던 사이였다면, 과거의 나는 정말 그 조직에 있었을 수도 있었다. 하지만 지금은 정말 누군가와 복잡하게 엮이고 싶지 않았다.

기차역을 찾아온 것이 후회됐다. 차라리 몰랐으면 좋았을 것이었다. 잊히지 않는 첫인상을 남겼던 장발은 집에 돌아가서도 자꾸만 떠오를 것 같았다.

이런 내 마음에 기름을 붓는 것인지 이내 누군가가 손전등으로 나와 바로 옆에 있던 장발을 비췄다. 기차역을 순찰하던 어느 젊은 경비였다.

"선생님, 기차역은 봉쇄되었는데 말이죠, 어떻게 들어오셨습니까?"

나는 곧바로 동그란 안경을 쓴 경비의 이 질문이 순순히 궁금해서 한 것이 아니었을 알아챘다.

"여기서 뭐 하셨어요? 꾸밈없이 솔직하게 답해주시죠." 경비는 나를 계속해서 몰아붙였다.

머릿속이 복잡해져 갔다.

"물었습니다, 여기서 뭐 하셨냐고." 낮은 목소리로 되묻는 그의 눈매가 날카로웠다.

나는 어색하게 장발과 경비를 번갈아가며 쳐다보았다. 장발도 시선을 좀처럼 한 곳에 두지 못하고 무안하게 웃으며 아무 말도 하지 않았다. 안 그래도 조용한 기차역에 어색한 침묵이 흘렀다.

"진술하지 않으신다면야. 법대로…."

『음…,』 장발이 무엇이라도 생각해냈는지 입을 열었다. 『뒷길에서 거래가 이루어지고 있어서요. 건전해보이지는 않더군요.』

경비는 눈가에 힘을 주고 우리를 노려보았다. 그리고 그는 잔뜩 긴장한 채 재차 사실여부를 물었다.

〖 그들은 틀림없이 흑향기였어요. 〗 장발이 덧붙였다. 〖 그런 새대가리들은, 그들밖에 없잖아요. 〗

"이런." 경비는 주머니에서 총을 꺼냈나.

난 거기서 그가 곤두선 신경에 손을 떠는 걸 봤다.

"확인부터 하고, 무장경찰을 부를 겁니다." 그가 목소리 크기를 크게 낮춰 속삭였다. "큰 문제를 일으키지 않았기를 기도해야죠."

경비는 손전등을 끄고 작은 권총을 앞세워 천천히, 그리고 조용하게 그곳으로 달렸다. 그가 내 손목을 세게 잡고 있던 탓에 난 경비에게 이끌려갔지만, 장발은 자유로운 몸으로 우릴 따라왔다.

"의리는 없네." 경비의 손에 이끌려 천천히 달리면서 장발에게 속삭였다.

말하는 소리는 조금 컸는데 경비는 전혀 못 듣고 있는 것 같았다.

〖 의리 좋아하네. 〗

"이렇게 쉽게 밀고해서."

장발이 자신이 그들과 한패임을 격하게 부정하고 있다는 것은 그의 어이없다는 표정과 다급한 손바닥이 보여주었다. 그리고 그는 더 소리를 낮춰 그들은 사이비집단이라고 덧붙였다.

그렇게 달려 그 장소에 근접했을 때 경비는 방아쇠 위에 손가락을 올려두고 소리 내지 말 것을 강조했다. 경비는 작은 소리에도 민감하게 반응했고, 조금만 자극한다면 곧바로 방아쇠를 당길 것만 같았다. 그러나 경비가 뒷길로 펼쳐지는 모퉁이를 돌았을 땐, 그들은 이미 자리를 뜬 상태였고 흔적조차 없었기에 경비의 표정은 이내 어두워졌다.

긴장이 풀리고 경비가 한숨을 내뱉었다.

"…후에 조사를 더 해보겠다만, 어디까지나 공적인 일입니다." 그가 총을 집어넣으며 말했다. "그대는 선택을 하셔야 하겠지요, 내일 아침 서에 소환되거나, 여기서 벌금으로 끝내거나."

〚 벌금, 그거 좋네요. 〛

"잘 생각하셨습니다. 즉시체포가 원칙이긴 하지만 당신만 골치 아파질 겁니다. 상부엔 제가 보고하도록 하죠." 경비가 말했다. "인당 삼십 파운드입니다."

장발은 바지 뒷주머니에서 돈을 꺼냈다.

〚 너도 꺼내. 〛

"돈 없는데."

〚 내일까지 갚아. 〛

장발은 지갑에서 총 육십 파운드를 꺼냈다.

"삼십 파운드만 걷죠." 경비는 십 파운드 지폐 여섯 장 중 세 장만 능숙하게 골라 챙겼다.

"걱정 마시고 당장 나가시지 않는다면 체포할지도 모르겠네요." 경비가 걷은 벌금을 주머니에 구겨 넣으며 말했다.

보란 듯이 출구로 걸어 나갔다. 그곳에 다다랐을 때 뒤를 돌아보니 경비는 그 자리에서 우리가 나가는 모습을 바라보고 있었는데, 눈이 마주치자 그가 얼른 나가라고 손을 흔들었다. 어느 정도 출입문 밖으로 나가자 그는 다시 돌아서서 순찰을 하기 시작했다. 나는 그대로 집으로 돌아갔다. 물론 장발은 여전히 나를 소름 끼치는 몰골로 졸졸 따라왔다.

〚 썩은 경비! 〛 그가 작게 소리쳤다.

해는 완전히 저물어 밖은 어두워졌고, 집으로 돌아가는 거리에는 사람들이 없었다. 건물마다 굳게 닫혀있는 창문들은 이 늦은 시간에 혼자 돌아다니는 나를 비웃었고, 아무도 없는 이 거리는 마치 폐쇄된 도시 같은 느낌을 주었다.

『 클로느? 』 상발이 내 어깨를 누느뎠다. 『 따라와 봐. 』

그의 모든 행동에 불신이 조금씩 있었지만, 나로서 할 수 있는 것은 없었기에 그저 그를 따라갔다.

장발을 따라 건물 외곽에 있는 좁은 통로를 통해 벽에 난 지지대 없는 다락까지 올라가니 웬 금발머리를 가진 남자가 그곳에서 아래를 응시하며 중얼거렸다. 그는 우리가 몰래 그 무리에 섞여있다는 사실을 모르는 것 같았다.

높은 복층에는 그 남자를 포함한 열 명 정도의 사람들이 쪼그려 앉은 채 옹기종기 모여 있었지만, 빛 하나 들어오지 않는 어두움에 사람들의 얼굴은 잘 보이지 않았다. 그런 어둡고 좁은 공간에 옹기종기 모여있는 사람들 사이에서 떠도는 가죽냄새와 땀 냄새가 코를 찔렀다. 가장 바깥쪽에 있는 소수의 사람들만이 밖에서 들어오는 빛에 얼굴이 비쳤으나, 그들 모두 까마귀 가면을 쓴 상태였다.

내가 이들이 아까 전에 본 거래하던 사람들이라는 것을 알아채는데 까지는 그리 오랜 시간이 걸리지 않았다.

"경비를 데려오다니, 아무래도 본 것 같지." 웬 여자가 중얼거렸다.

숨죽이고 듣자 하니 내 얘기를 하는 것 같기도 했다.

듣자하니 그들은 나를 두고 어떻게 처리할 것인지 머리를 맞대고 있었다. 총을 가지고 있던 그들이었지만 일이 커질 시 골치 아파지는 상황에 이러지도 저러지도 못하고 있는 것이었다.

그들의 이야기를 듣다보니 문득 내가 그들과 같이 있다는 사실을 깨달았다. 장발에게 이끌려 왔다지만 제 발로 호랑이 굴에 들어오다니. 그는 저들과 한패가 맞았던가.

"쏜다면 진작 쐈어. 여기서 뛴 피나 닦는 게 네 꿈이라면 허용해 줄게." 그들 중 한사람이 말했다.

힘이 잔뜩 들어간 그녀의 목소리에선 약간의 분노가 느껴졌다. 거래 장면을 목격한 나를 총살하자는 다른 이의 말을 딱 자르는 것이었다.

『난 그게 꿈인데.』 그때, 가만히 있던 장발이 조용히 소리 내어 말했다.

싸해지는 침묵에 분위기가 무거워졌다. 여자는 그 소리에 뒤를 돌아봤지만, 무척이나 어두워 몇 명인지도 가늠이 안 되는 많은 사람들의 머리통이 옹기종기 모여있는 것을 확인하곤 한숨을 쉰 채 고개를 돌렸다.

나는 내가 그들 뒤에서 같은 무리인 척을 하고 있다는 사실을 들키지 않기 위해 안 그래도 아픈 허리를 더 아래로 숙여 눈에 띄지 않게 했다.

그들은 여전히 나를 두고 이야기를 이어나갔다.

"봤을 거 아냐."

"랜턴 끄라고 했지."

"지금이라도 그 새끼 잡아와? 본 거 같은데."

『할 수는 있고?』 장발이 미쳤는지 또다시 소리를 냈다.

멍청한 그는 보기에도 괴팍한 그들의 성질을 박박 긁고 있었다. 여자는 뒤를 돌아 그 목소리의 주인공을 찾으려 했다. 당장이라도 장발의 멱살을 잡고 대갈빡을 후려갈기고 싶을 뿐이었다.

그때 장발은 빠르게 앞으로 튀어나가 천장 난간에 있는 커다란 천을 내려 외부를 가렸다. 그곳을 유일하게 비추는 달빛마저 차단되자, 그곳은 완전히 어두워졌다. 한 치 앞도 보이지 않는 암흑이었다.

여기저기서 비명소리가 들렸다. 장발의 목소리는 아니었지만, 아무것도 보이지 않는 상황에서 무슨 일이 일어나고 있는지 알 수 없으니 그 소리들은 내게 공포감을 심어주기 시작했다. 어둠 속에서 생명의 위협을 느꼈지만 나는 계속 무사했다. 왠지는 몰랐다.

그들은 허겁지겁 랜턴에 붉은 불을 붙이려 했다. 물론 그전에 장발에게 저지당했지만, 그 찰나의 순간에 비치는 그의 모습에서 누구든지 공포를 느꼈을 것이다. 외형조차 기괴한 그는 아무리 사람이라고 생각해도 그렇게 생각되지가 않는 것이었다.

기어코 랜턴에 불을 붙인 누군가가 나와 모두를 비췄다. 나도 집중하여 상황파악을 하기 시작했다.

정적이 흘렀다. 천장지지대 위 상황은 그야말로 아수라장이었다. 장발이 눈을 크게 부릅뜨고서는 하나 둘 사람들의 목을 조르고 있었는데, 비명소리와 숨이 턱턱 막히는 소리가 어울리는 아비규환이었다.

그들은 놀랐는지 방향감각을 상실한 채 출구를 찾아댔고, 랜턴은 심하게 흔들려서 분위기를 더욱 압도했다.

총은 통하지 않았느냐고? 그게 통했다면 일이 이렇게까지 커지지는 않았을 것이다. 어두워서 맞추지를 못하는 것인지 서너 발의 총성이 있은 후에도 끝나지 않는 사태를 보고 그들은 살기에 급급해졌다.

장발은 긴 팔을 사람들의 얼굴을 향해 휘둘렀고, 그 손에 붙잡힌 사람들은 족히 10초 정도면 의식을 잃었는데, 그들의 목엔 하나같이 커다란 손자국으로 둘러 쌓여있었다. 장발이 랜턴을 끄려고 손으로 낚아채자마자 랜턴은 망가지는 짧은소리를 내며 마구 깜빡이다가 무언가 박살 나는 소리가 들리더니 그대로 꺼졌다.

그 사이, 다른 사람들은 일제히 총을 꺼내어 그에게 다시 마구 쐈다. 하나 그 어둠 속에서 존재조차 불투명한 그에게 치명타를 입히는 사람은 없는 듯했다. 비명소리와 총소리 아우러지는 정신 나간 상황 속, 장발이 그 존재감을 드러내는 순간이었다.

소리가 멎자 커다란 천을 걷고 주위를 둘러보았다. 다시 달빛이 들어와 이곳을 천천히 비췄다. 장발과 나 외에 움직이는 사람들은 없었고 장발은 벽에 기대 뿌듯한 표정을 지었다.

"미친놈."

〚좀 쉬자.〛

"난 왜 안 죽인 건데."

〚넌 해야 될 게 있거든.〛 장발이 숨을 가다듬었다. 〚그리고 아직 안 죽었어. 기절한 것뿐이야.〛

"왜 그런 거야."

장발은 말 대신 오른손으로 쥐고 있는 가방을 내게 보여주었다. 거래상품이었다.

"이거 갖고 싶었나봐?"

나는 가방을 열어보았다. 커다란 가방에 작은 종이 하나가 바람에 조용히 펄럭였다.

「[신상정보]
이름 - 그레이스 리디아 아나리스(영국)
생년월일 - 1858년 4월 30일 / 29세

혈액형 - A

키, 몸무게 - 5' 4'', 48킬로그램

수서시 - 눠쁘네빌 로느 62번지 4호 연립주택 2층

직장 - 발프 스트리트 33번지 발프 병원

가족사항 - 아버지, 어머니, 남자형제

기타 장애 및 질병 - 해당 사항 없음.

[주요사항]

1883년 킹스칼리지 대학교 의학과 졸업.

1886년 발프 병원 내과의사로 부임.

1887년 약물을 사용한 살인 전적 있음(르노라 부인 - 수술실 살인사건).

[기타사항]

단도 사용 시 : 심장 및 복부-3초 / 쇄골하동맥-2초 / 상황에 따라 옆구리나 허벅지를 깊게 찔러도 됨.

지난 다섯 달간 매일 8시, 12시, 20시에 혼자 발프 스트리트 뒷골목에 10분간 갔다 오는 것이 확인됨(발프 스트리트 뒷골목에는 U(신원이 확인되지 않은)가 혼자 길거리에서 거주 중인 것이 확인됨.). U는 가까이 가면 유해하니 주의하길 바람.

매주 월, 화, 수, 목, 금, 토(주6일) 근무. 10시 출근, 22시 퇴근.

배우자나 동거인 없이 혼자 사는 것으로 확인됨.

오류 발견 시 재차 확인 바람.」

"자세하게 적었네."

『발프 병원에서 근무하는 의사야. 이 여자를 죽이려는 거야.』

장발은 나를 데리고 발프 병원이 있는 발프 스트리트로 가자고 했다. 하지만 나는 단순히 누군가를 살리려고 거기까지 갈 생각이 없었다.

"내가 왜?"

『범죄는 사전에 예방하는 거야. 그녀에게 이 사실을 전해주기만 하자는 거야. 우리만 아는 사실이잖아.』

"혼자 가."

『네가 있어야 돼. 따라오기만 해.』

"나랑 하나도 관련없는 사람 살리겠다고 스스로 이 일게 끼어들자고?"

장발은 내 옷을 움켜잡고 어디론가 끌고 가기 시작했다. 나는 장발의 손을 뿌리쳐내려고 시도했지만 그가 너무나 세게 잡은 탓에 장발의 손에서 나올 수가 없었다.

"어디 가?"

『발프 병원.』

"싫다고 했잖아."

나는 말은 이렇게 했지만 사실 저항하지 않고 장발의 손에 이끌려 발프 병원으로 향하고 있었다. 한번 저항해 봤지만 빠져나올 수 없으니 그냥 이 상황을 받아들이기로 했다.

나와 장발은 조용한 발걸음을 옮기며 발프 병원을 향해 조용한 이 거리를 걸어갔다.

*

　1840년내, 굶주린 노숙자들이 득실대던 거리, 빌프 스트리트의 어느 뒷골목에는 노숙자들이 살아있는 쥐를 생으로 잡아먹는 일이 빈번했고, 위생과는 거리가 너무나도 멀었던 탓에 어느 날부터 그곳에서 온갖 전염병과 세균이 돌기 시작했다.

　이 사태로 인해 약 십 년간 천명에 이르는 발프 뒷골목의 노숙자들이 사망했지만 정부의 방치로 인해 발프 뒷골목은 죽음의 거리로 불리다가 단 한 사람의 발길도 닿지 않는 거리가 되었다.

　외부와 완전히 단절되어 균들이 밖으로 확산되지는 않았지만 시간이 흐르고 그 뒷골목의 존재를 아는 사람이 한 명도 없다고 해도 과언이 아닐 정도로 사람들에게 잊혔기에 그곳에 갇혀 살던 노숙자들은 제대로 된 도움 한번 받지 못하고 그곳에 나란히 누워 죽음을 맞이해야 했다.

　발프 뒷골목은 간단히 말해 그들만의 사회였다. 수많은 쥐구멍을 통해 제공되는 살찐 쥐들이 그들의 주식이었고, 가끔 바람에 실려 들어온 통조림이라도 있는 날엔 너도나도 모여 가늘고 긴 손가락으로 남아있는 찌꺼기를 한 번씩 맛보곤 했다.

　그들은 그런 열악한 환경 속에서도 몇십 년은 대를 이어오는 기적을 이루며 꿋꿋이 버텨왔지만 결국 갑자기 나타난 치명적인 전염병에 의해 십 년 만에 처참히 무너지고 만 것이다.

　그렇게 그들이 전부 죽고 발프 뒷골목이 어느 한 사람에게 발견되기까지는 삼십 년이 걸렸다.

　시간이 흘러 1887년 3월 27일. 발프 병원에서 근무하는 어느 한 의사가 방치된 채 썩어가던 이 작은 골목을 발견했다. 시체 썩는 냄새와 쥐의 배설물 악취가 코를 찔렀고 골목의 벽면에는 이끼와 곰팡이가 슬고 있었지만 그 의사가 가장 경악했던 사실은 수많은 백골들과 낡고 냄새나는 쓰레기더미 사이에서 살아 움직이는 무언가를 발견했다는 것이었다.

벽과 벽 사이 그 좁은 구석에 홀로 남겨진 그의 자리는 기괴하다고 형용하는 것이 가장 적합했겠다. 낡고 거대한 가죽 텐트, 그 안에는 꿈틀대는 어떤 것의 형체가 보였다. 반송장인 것 같으면서도 생전 처음 보는 괴기한 그것을 보며 의사는 그 모습 자체로 역겨움을 느꼈다.

그 가죽텐트는 다른 색상과 재질의 여러 가죽들을 이어 붙여 하나로 만든 것이었지만, 오랜 시간이 흐르면서 변색으로 비슷한 색상을 내며 마치 하나의 큰 가죽 같이 변했다. 그리고 그 안에는 텐트보다 더 지독한 냄새가 나는 누군가가 살고 있었다. 지지대가 없어 무너져 내린 낡은 가죽 텐트를 이불처럼 덮어 자신의 온몸을 숨기다가 재빠르게 밖으로 긴 팔을 뻗어 지나가는 쥐 따위를 잡아 먹는 노숙자였다. 그 모습이 마치 풀숲에 은신해 사냥감을 기다리는 맹수, 혹은 예상치 못한 곳에서 튀어나오는 깜짝 상자 같기도 했다.

빛이 들어오지 않는 뒷골목에서 빛이 들어오지 않는 가죽텐트를 덮은, 그야말로 사회의 햇빛을 전혀 받지 않는 상태였다.

그 노숙자는 텐트 속에서 옅게 숨만 쉬며 바로 앞으로 다가온 무언가를 인지했는지 가죽텐트 안에서 계속 꿈틀대다가 몸을 움직이는 것을 멈추더니 긴 팔을 쭉 뻗어 의사의 발목을 움켜쥐는 것이었다.

의사가 비명을 지르며 팔짝 뛰자 그는 자신이 잡은 것이 쥐가 아닌 사람이라는 것을 깨닫고 다시 팔을 집어넣었다.

　다음날에도 의사는 그를 찾아갔다가 이 노숙자가 가죽텐트 밖으로 재빠르게 팔을 뻗어 근처도 지나가는 쥐를 낚아챈 후 지신의 가죽텐트 안으로 데려가는 것을 보았다. 그 뒤로 쥐의 시끄러운 비명이 이어지다 어느 순간에 뚝 끊긴 것으로 의사는 그가 쥐를 데려가 무슨 짓을 했는지 단번에 알아챘다.

　하지만 그 순간에 의사는 그의 팔을 자세히 보았다. 사람의 피부라고 할 수 없는 생기 없는 푸석한 피부를 지닌 팔을. 그 피부를 벗기면 근육 없이 바로 뼈가 보일 것만 같이 앙상하게 마르고 긴 그 팔을.

　사람을 경계하고 쥐를 잡아먹으며 살아온 그의 몸과 정신 상태는 목숨이 위태로울 만큼 심각했지만 병원으로 데려가려는 의사의 태도에 반하는 그의 거센 저항 때문에 그녀는 그를 이곳에 내버려 두고 혼자 병원으로 돌아갈 수밖에 없었다.

　의사는 이따금 음식을 들고 그 노숙자를 찾아갔다.

　전염병은 사라진 지 오래지만 사십 년간 사람들의 발길이 닿지 않아 곳곳에는 머리 없는 쥐의 사체와 뒤집힌 채 때로 죽어있는 바퀴벌레의 사체들이 득실대며 이로 인한 악취가 풍기는 것은 여전했다. 의사는 지역 경찰에게 이 골목에 대한 신고를 몇 번이고 넣어봤지만 엄청난 거부감을 표현했던 경찰은 여러 핑계를 대다가 끝내 그녀의 목소리를 듣지 않았다.

　노숙자 앞에 들고 간 음식을 주면 그는 쳐다보지도 않았지만 다음에 다시 그를 찾아오면 깨끗하게 비워져 있는 그릇을 보며 그녀는 내심 뿌듯함을 느끼고 있었다.

　죽음의 문턱에서 힘겨운 나날들을 버티고 있던 노숙자를 발견한 어느 의사의 염원은 그가 다시 기운과 건강을 되찾고 평범한 사람처럼 사회에 복귀하는 것뿐이었다. 의사인 그녀에게 있어 노숙자인 그는 그녀의 환자였다.

양옆에 세워진 높은 건물들 때문에 대낮에도 비교적 해가 들지 않는 발프 뒷골목에서 살던 어느 노숙자에게 작은 희망의 꽃이 폈다.

몇 년간 매일같이 먹어오던 꿈틀대는 쥐가 아닌 보살핌의 정성이 담긴 따뜻한 음식을 먹는다는 사실 자체가 그의 마음을 녹이기 시작했다. 처음에는 이 의사의 선의를 거절한 그였으나 이제는 매일 어두운 가죽 텐트 속에서 그녀가 오기를 기다렸다.

"내가 쥐 잡아먹지 말라고 했잖아." 의사가 호세에게 꾸짖는다.

호세는 방금 가죽 텐트 속에서 기다랗고 마른 팔을 쭉 뻗어 재빠르게 도망가는 쥐를 낚아챈 직후였고, 의사는 그에게 음식을 전해 주러 왔다가 그 장면을 목격했다.

의사는 낡은 가죽 텐트 속에서 나오지 않는 노숙자에게 '호세'라는 이름을 지어주었다(호세는 의사의 첫사랑 이름이기도 했다.). 호세가 말없이 쥐를 놓아주자 쥐는 땅 위에서 자유의 몸이 되자마자 빠르게 달려 어딘가로 도망간다.

"호세, 이제 그 가죽 텐트 안에서 나오면 안 되겠어?" 의사가 호세 앞으로 가지고 온 음식을 내려놓으며 말한다.

호세는 그녀의 말에 침묵으로 받아친다. 그에겐 아직까진 밖으로 나올 생각은 전혀 없다.

의사는 병원에서 가져온 웃는 얼굴의 나무 가면을 호세의 가죽 텐트 안으로 밀어 넣는다. 그리고 그녀는 안에서 호세가 그 가면을 당겨 가져가는 것을 느낀다. 가면이라도 쓰고 자신감을 얻어 가죽 텐트 밖으로 나오길 원하는 그녀의 마음이 담겨있었다.

"치료를 무서워하는 어린이 환자들을 만날 때면 항상 의사들이 쓰는 가면이야. 너는 꼭 그런 어린이 같아. 아이들은 종종 치료를 거부하거든." 의사가 중얼거린다. "그들은 차갑고 금속으로 만들어진 의료 기구를 무서워하기 때문이지. 네가 이곳에서 나와 사회로 돌아가는 것을 무서워하는 것처럼. 난 네가 행복하길 원하거든. 그래서 이렇게 널 보살피는 거야. 이유는 없어. 병실로 같이 들어가자. 그곳은 여기보다 따뜻하고 아늑하거든."

거대한 가죽 텐트 안에서 쪼그려 누워있는 호세가 볼 수 있는 건 잔뜩 찢어지고 울어버린 가죽텐트의 틈으로 보이는 바깥, 그리고 그곳에 있는 의사의 두 발뿐이다.

"듣고 있지?"

탁- 탁탁- 탁-

"좋아."

바닥을 두드리는 것은 그가 하는 유일한 의사소통이었다. 왜인지 말은 절대 하지 않는 호세였다.

*

…의사의 신상정보를 얻어낸 것은, 1시간짜리 내 인생을 통틀어 가장 큰 실수였다. 아니, 어쩌면 나는 장발을 처음 만났을 때부터 그가 내게 호의적인 태도를 보인다는 것을 알았더라도 곧장 집

으로 도망쳐야 했을 것이었다.

킹스크로스역에서 발프 병원은 그리 멀지 않았다. 기껏해야 10분 정도 걸었으려나.

사실 내가 가장 많이 의식한 것은 일이 앞으로 어떻게 전개될까 같은 것이 아니었다. 난 장발에게 팔을 붙잡혀 강제로 끌려가는 와중에도 배가 고프다는 생각을 했다. 그간 적게 먹고 많은 에너지를 소모한 것은 사실이었으니까.

그리고 그 외에 다른 생각을 좀 했다면, 장발과 의사와의 관계 정도였다. 물론 그다지 깊게 고민해보지는 않았다. 너무나도 배가 고팠으니까.

〔그레이스?〕

발프 병원 앞에서 장발은 운 좋게(오로지 그의 입장에서) 의사를 곧바로 마주할 수 있었다.

의사, 그레이스의 손에는 빈 쟁반이 들려있었다. 그 쟁반을 보니 더욱 더 배가 고파졌다. 물론 비어있는 쟁반은 그레이스 그녀가 왜 빈 쟁반을 들고 밖을 돌아다니고 있는 건지 의문을 품게 했다.

그레이스는 장발의 목소리를 듣고 뒤를 돌아보았다.

"누구세요?"

〔그레이스 맞죠?〕

"맞습니다만, 어떻게 알고 계시는지?"

장발은 빼돌려 온 흑향기의 가방에서 그녀의 신상정보가 들어있는 서류를 그녀에게 보여주며 말했다.

〔흑향기 알아요? 도망가는 게 좋을 것 같아서요.〕 앞뒤 설명도 없지 본론부터 꺼내는 장발이었다.

사실 별 관심 없는 내가 들어도 그리 믿음이 가는 말은 아니었다.

"예?" 그레이스는 상냥히 충석을 맏은 눈지넜는시 말을 더늠었다. "제가요? 갑자기요? 제가 왜요?"

그레이스는 잠시 말없이 장발이 건넨 신상정보 문서를 읽어 내려갔다. 그녀는 그것을 쭉 읽더니 너무 자세해서 소름이 돋는다고 했다. 그리고는 우리보고 어떻게 그렇게 태연할 수가 있냐고 따지는 것이었다.

"전해드렸습니다." 내가 말했다. "가자, 이제."

곧 장발이 내 뒤통수를 한 대 후려갈겼다. 뒤통수가 욱신거려 왔다.

이성적으로 생각하여 우리가 할 수 있는 것이 무엇이 있겠는가. 도망치는 것? 그래, 그것이 최선이라면 최선일 수 있겠다. 나였으면 도망쳤을 거냐고? 아니, 나였으면 그냥 집에 처박혀서 말린 과일이나 질겅질겅 씹다가 그들에게 죽었을 것이었겠지만, 이 그레이스라는 사람은 어지간히 살고 싶어 하는 모양이었다.

"어떻게 그렇게 아무렇지 않을 수가 있는 거죠?"

그녀의 겁에 질린 감정이 얼굴을 통해 드러났다. 한동안 어색한 침묵이 이어졌다. 나는 그녀에게 사실을 전했으니 이곳을 떠나 집으로 돌아가려고 뒤돌아섰다.

방금 그녀가 한 질문에 대답하지 않은 이유는 단순했다. 그게 그렇게 엄청난 일이던가? 어쩌면 나는 누군가의 죽음에 대해 큰 감정이 없는 사람으로 태어나 남에게 공감 따위 하지 못하고 사회에 부적응한 '반사회적 사이코패스'나 '허무주의자' 따위로 불리겠지. 내겐 아무 상관없다는 것이 사실이지만.

장발은 갑자기 아무 말도 하지 않고 꼿꼿하게 서있었다. 그리고는 입모양으로 소리 없이 내게 무슨 말이라도 해보라고 했다.

"…처지에 울어드릴까요?" 이 말을 생각해내는 데에는 생각보다 오랜 시간이 걸렸다.

"이대로 가시게요?" 그레이스가 다급하게 손으로 나를 잡았다.

"제 목숨을 걸고 당신을 지켜드릴 순 없잖습니까."

"그럼 여기 왜 오신 거예요? 보아하니 꽤 멀리서 오신 것 같은데?"

"끌려왔어요."

그레이스는 식은땀을 흘리고 있었다. 모르는 사람들이 와서 불쑥 던진 말을 정말 진심으로 믿는다고? 그녀를 이해할 수가 없었다.

이러면 안 된다는 건 알았지만 그녀의 감정에 공감이 안 되는 건 사실이었고 따뜻하게 위로해 줄 생각은 전혀 들지 않았다. 굳이 내가 내 감정을 소비해 가며 남의 일에 공감을 하는 비효율적인 일을 감해할 필요는 없었다.

차라리 가장 효율적인 판단을 하고 행동하는 것이 나았다. 두려워서 질질 짜고 있을 시간에 이곳을 떠나던가, 어딘가로 숨는 것이 목숨을 부지할 수 있는 최선이라는 생각이 들었다. 오히려 그것이 그레이스를 위로해 주는 것보다 더 나은 방법이었다.

"어떻게 살 수 있는 방법이 없을까요?"

그레이스가 손을 벌벌 떨며 불안해하는 것이 눈에 바로 보였다.

『내일 새벽에 여기를 떠나 도버로 가세요.』 장발이 말했다.

"도버요? 왜 하필 거기죠?"

〖 여차하면 바다를 건너 프랑스로 도망가게. 〗

"지금은요?"

그레이스는 좀 실눈이 났았다. 당황한 기색이 쉽게 가시지 않는 모양이었다. 어지간히 살고 싶은 모양이었다.

〖 자정 이후에나 군인들이 순찰을 도니까요. 〗

"아…. 자정 이후 특별순찰이요?"

〖 여긴 범죄에 찌들었잖아요. 어차피 지금은 프랑스로 가는 배도 없을 거고. 〗

장발의 말을 곱씹으며 문장의 내용을 이해했다. 범죄가 많아서 자정 이후에 군인들이 특별순찰을 돌 정도로 악한 도시였다니.

방금 전 발프 병원으로 이동할 때 거리에 아무도 없었다는 것이 이해가 되었다. 이미 이 지역 사람들은 심각성을 알고 있었던 거다.

그레이스를 살릴 마음은 크게 없었지만 웬일인지 그녀를 살리고 싶어 하는 장발이 너무 적극적이라, 나도 하는 수 없이 그를 돕기로 했다(협조하면 장발이 알고 있는 나의 과거를 조금 들려주기로 협상해서 그를 돕기로 한 것은 아니다. 암튼 아니다.).

장발의 진지한 모습이 조금 전, 기차역 천장지지대에서 보인 모습과 대비되어 이질감이 느껴졌다.

우리는 자정까지 버티기 위해 병원 내 텅 빈 환자실로 들어왔다. 작은 환자실에는 그녀의 깊은 한숨소리만이 나지막이 들려왔고 가끔씩 깜빡거리는 빛바랜 전구가 그녀의 마음을 나보다 더 잘 아는 듯했다. 창밖으로 보이는 하늘은 이제는 너무나 어두워졌다.

그녀는 새벽까지 흑향기 신도들이 병원으로 들이닥치지 않기를 작은 소리로 중얼대며 기도를 했다.

우리가 할 수 있는 것은 자정까지 병원에서 버틴 뒤에 런던을 뜨는 것뿐이었다. 상황은 차츰 잠잠해졌고, 마음을 가다듬기 시작했다. 저녁부터 시작한 오늘이지만, 벌써 많은 일이 있었다. 나는 지금까지의 기억을 통째로 잃고 눈을 뜬 오늘을 '기억의 날'이라 칭하기로 했다. 모든 기억이 초기화됐고 새로운 기억의 시작이니까.

쾅 쾅 쾅 쾅

자정 2시간 전, 아무도 두드리지 않길 바라던 병원의 후문을 누군가에 의해 힘껏 두들겨지기 시작했다. 무거운 정적을 삽시간에 깨버린 그 소리는 귀가 따가울 정도로 시끄러웠다. 문을 두드리는 강도는 점점 세져서 곧 문이 부서질 것 같았던 것이었다. 장발은 아무것도 모른 채로 곤히 잠들어있었고, 문 두들기는 소리에도 아무런 미동조차 없었다.

"그들이 왔나 봐요…." 그레이스가 울먹였다.

쾅 쾅 쾅 쾅 쾅 쾅 쾅 쾅…

그레이스는 구석에 숨어 문이 부서지지 않고 버티기를 빌었다. 하지만 누군가의 노크는 멈출 생각을 안 했다.

쾅 쾅 쾅… 쾅– 쾅쾅– 쾅–

오묘하게 귀에 익은 리듬감에 무언가를 알아차린 걸까, 그레이스는 돌변하여 문 쪽으로 스스로 다가가는 것이었다. 그러고는 문 손잡이를 냉큼 쥐어잡았다.

쾅- 쾅쾅- 쾅-

그레이스는 뭔가 알고 있는 것 같은 모습이었다. 그러고는 냉큼 문을 열었다.

시끄러운 소리를 내며 열린 문 앞에는 깡마르고 창백한 남자가 핏기 없는 얼굴로 기괴하게 웃고 있었다. 아니, 웃는 것이 아니라 웃는 얼굴의 나무 가면으로 본 얼굴을 가린 채 서있었던 것이었다. 서로 달라붙고 헝클어진 더러운 머리카락에 뼈만 있는 것처럼 보이는 굉장히 마른 체구의 소유자였다. 뭉툭하게 튀어나온 관절들은 마른 체구와 함께 기괴하다는 느낌을 가져다줄 정도였다. 그는 등이 휘어 똑바로 서있지도 못해서 구부정하게 서있었는데 얇은 팔은 긴팔원숭이처럼 굉장히 길어서 서있는 상태로 땅에 닿을 듯했다.

사람이라고 보기엔 너무 흉측한 모습이 세상에 장발 단 한 명뿐 인줄 알았건만, 어찌 그는 장발보다 더 흉물스러웠다.

주춤거리던 호세는 불안정하게 서있었기에 그레이스가 서둘러 그를 부축했다.

"호세라고? 정말 호세야?"

호세는 그녀 얼굴을 향해 천천히 고개를 돌려 지긋이 바라보았다. 그가 쓰고 있는 가면 때문에 어떤 표정을 짓고 있는지는 몰랐지만, 난 아마도 가면 아래쪽 틈으로 조금씩 새어 나오는 작고 투명한 방울이 바닥에 조용히 떨어지고 있는 것을 보았다.

"이쪽은 호세예요. 병원 뒤쪽 골목에서 외롭게 사는데, 병원으로 들어오라고 해도 듣지를 않아요. 가죽 텐트 밖으로 나온 것도 이번이 처음이고…." 그레이스가 내게 호세에 대한 설명을 했다. "이렇게 덩치가 큰 줄도 오늘 처음 알았어요."

"정말 그렇군요."

썩 궁금하진 않은 내용이었다.

호세는 그레이스를 뒤로하고 내 쪽으로 다가와 허술하게 걸친 옷가지에서 꺼낸 작은 총알을 내게 쥐여주었다. 총도 없이 총알만 주어 난 잠시 받는 시늉을 하고 조금 이따가 몰래 버릴 예정이었다. 총알이 낡고 헤진 덕분에 이걸 그대로 쐈다간 불발이 날 거라는 사실에 조금의 의심도 하지 않았기 때문이다.

움직일 때마다 불안정하게 떨어대는 그의 팔과 다리는 이미 그의 몸 상태가 매우 심각하다는 것을 말해주었다.

"호세가 하루 종일 하는 일이 가죽 텐트 밖으로 손을 뻗어 휘두르며 손에 잡히는 대로 가져가는 것뿐이니 별걸 다 가지고 있더라고요."

"정말 그러네요."

곧 호세는 다시 병원 밖으로 나갔다. 휘청거리며 어디론가 기어가는 호세의 머리 위에 굵은 빗줄기가 떨어지기 시작했다.

그레이스는 현관문을 다시 닫는 것도 잊은 채 호세의 뒷모습을 끝까지 바라보며 본인은 반드시 살아남겠노라고 했다. 뭐, 안될 건 없지.

나는 병실 침대에 누웠다. 그러나 딱히 피곤하지는 않았다. 아까 잠을 많이 자서 그러했던가.

이곳에 그레이스와 같이 있다가 흑향기가 불쑥 찾아오면 목숨이 위험한 상황임에도 나는 생각보다 여유로웠다. 아니, 여유로운 것이 아니라 상황의 심각성을 인지하지 못하는 것이라고 하는 것이 더 가깝겠다. 나 스스로도 내 모습이 그레이스의 모습과 확연히 대비되고 있다는 것을 느꼈으니까.

〖 이런 데에 눕는 것도 오랜만이지. 네가 일곱 살 때 너보다 힘 약한 여자애가 널 둘러업고 병원으로 달려왔던 기억이 아직도 난다. 〗

장발이 병문안을 온 사람들을 위해 구비된 작은 의자에 앉아 말을 걸었다.

"네가 아직도 내가 일곱 살 때를 기억한다는 게 무슨 의미지?"

장발은 이 질문은 무시한 채 내가 7살 때 강가에 빠졌다가 옆에 있던 친구들에 의해 겨우 빠져나온 이야기를 해주었다. 7살 배기 꼬마가 겁도 없이 강가에서 놀고 있었었는데, 철부지 없던 어릴 적이 기억나냐고 내게 되레 묻는 것이었다.

"말해준다는 내 과거가 이거야?"

〖 물론 아니지. 그냥 옛날 생각나서. 그렇게 순수할 수가 없었지. 그 뒤로 놀림감이 되셨으니. 〗 그가 피식 웃었다.

옆으로 나란히 있는 또 다른 침대에는 그레이스가 우릴 등지고 누워있었다.

시선을 돌려 장발을 쳐다보았다. 그는 그레이스를 알 수 없는 눈빛으로 가만히 바라만 보고 있는 것이다. 그 표정은 기쁜 건지 슬픈 건지 감정을 알 수가 없었다.

"굳이 살아야 할까."

〖 잡히면 그냥 죽게? 〗

"굳이 도망칠 필요까지는 없을 텐데."

〚 넌 확실히 그래야겠다. 〛

"간단하지."

〚 공감이란 걸, 좀 해봐. 〛

"알 게 뭐야. 나도 무서워."

〚 정말 그렇게 보이네. 〛

장발은 지금 단지 안정을 되찾고 싶은 그레이스가 자정이 넘어간 후 런던을 떠나 도버로 간다 해도 안정된 삶을 살 수 없을 거란 현실에 지쳐있다고 말했다. 그걸 어떻게 알고 있냐는 나의 질문엔 본인은 뒷모습만 봐도 그 감정을 어느 정도 느낄 수 있다고 말했다.

바람 한 점 불지 않는 창문 바깥 면에 빗방울로 인해 얼룩은 밖을 볼 수 없게 창을 가렸다. 창문의 물기를 닦고 밖을 보고 싶었지만 안에서는 바깥의 면을 닦을 수 없었다. 아무리 문질러 보아도 닦이지 않았다. 왠지 모르게 속이 답답했다.

새벽부터 누군가가 부스럭거리는 소리가 병실 전체를 가득 채웠다. 덕분에 나는 잠에서 깨버렸다.

"일어나세요." 그레이스가 짐을 싸며 내게 말했다.

"졸리네요."

"잘 때가 아니잖아요."

새벽까지 자지 않겠다고 생각했었지만 잠시 감은 눈이 잠으로 번진 모양이었다.

그레이스는 뜬눈으로 새벽까지 밤을 지새운 듯했다. 그녀도 얼굴에 피곤함이 묻어났다.

"몇 시죠?" 내가 물었다.

"11시 58분."

"날도 안 시났네."

"저기요, 빨리 가요."

그레이스에게 이름을 알려준 적이 없는 나는 '저기요'로 불리고 있었다. 하지만 아직까지도 내 이름이 익숙하지 않은 나에게는 꽤 괜찮은 호칭이었다. 단순히 누군가를 부르는 의미 없는 대명사, 정도 감정도 섞여있지 않은 또 하나의 이름. 그게 나았다.

병원 후문을 통해 조용히 밖으로 나온 우리는 이내 쑥대밭이 된 병원의 뒤뜰을 보게 되었다. 그 짧았던 밤사이에 누군가 치열한 싸움을 벌인 흔적이었다. 그리고 머지않아 그레이스는 그것이 누구인지 알게 되었다.

그녀는 허리를 숙여 아래쪽이 부서진 채 바닥에 덩그러니 남아있는 호세의 나무 가면을 들어 올렸다. 머리를 감싸 매는 두꺼운 끈은 너덜너덜하게 끊어져있었고, 다시는 착용이 힘들 것 같아 보였다. 그레이스가 어딘가로 향했다. 거리의 뒷골목, 어두운 그곳에는 비어있는 어떤 허름한 가죽 텐트가 덩그러니 남겨져있었는데, 그레이스는 볼록하게 솟은 가죽텐트를 손으로 들춰 내부를 보더니 천천히 손을 놓았다. 그녀의 얼굴은 그리 좋아보이진 않았다.

바닥에 떨어진 또 다른 가면들은 그때의 혹독했던 상황을 더욱 실감 나게 재현해 주었다. 나는 여기저기 깨진 채 떨어져 있는 두세 개의 까마귀 가면들로 하여금 호세가 누구와 싸움을 벌였는지 알 수 있었다.

"흑향기가 진짜 이곳에 왔었나 봐요…." 그레이스가 울먹이며 떨리는 목소리로 웅얼거렸다. "본능적으로 알았던 거야. 그리곤 희생한 거고⋯."

나는 그저 뒤에서 그녀를 가만히 바라볼 뿐이었다.

"장례식도 못 해줄 텐데⋯. 지금 어디에 있는지도 모르고⋯." 그레이스는 호세의 가면을 보며 계속해서 웅얼거렸다.

그 뒤로는 울먹거리는 탓에 발음이 뭉개져 뭐라고 하는지 알 수가 없었다.

〖관련도 없는 것이 제일 먼저 죽었네.〗 장발이 내게 속삭였다.

그레이스는 이내 울음을 터뜨렸다. 그리고는 본인이 무엇을 잘 못했느냐는 것이었다. 많이 억울해 보였다. 장발은 옆에서 묵묵히 서있었다. 오랜 시간이 지났지만 둘은 움직일 기미를 보이지 않았다. 기다림의 시간은 곧 지침으로 변했다.

"빨리 안 가요?" 내가 물었다.

그러자 그레이스는 대답 대신 불같이 화를 내기 시작했다. 날 쏘아보는 원망스러운 눈빛은 덤이었다.

"당신같이 우둔한 사람을 본 적이 없어요. 누군가 죽었는데 빨리 가자고요? 위험하니까? 퍽이나!" 핏줄이 곤두선 채 아랫입술을 벌벌 떠는 그레이스가 날카롭게 소리쳤다.

그레이스는 그 뒤로도 끊임없이 나로선 알 수 없는 본인의 감정을 내게 쏟아 부으며 소리를 질렀다. 12시가 넘어간 이 늦은 시간에 사람들이 잠에서 깨고 우리에게 이목이 집중될까 하는 것이 신경 쓰였다.

그렇게 몇 차례나 울고 화내고를 반복한 끝에야 그레이스는 호세의 부서진 가면을 그의 가죽 텐트 안에 살포시 올려두고 잔뜩 분에 찬 발걸음을 옮겼다. 킹스크로스역 방향으로 향하는 그녀가 왜 자신을 따라오냐…고 물었을 때는 그냥 집으로 가는 길이 같아서…라고 답했다. 난 그저 피곤하고 조금 배고팠다. 그것들은 사실이었나.

어두움이 내려앉은 시간. 정돈된 집무실 안 세 남자 사이에 흐르는 공기가 무겁다. 흑향기의 교주인 아덴타 앞에 어느 앙상한 남자가 쓰러져있고, 그 남자는 죽음의 문턱에서 생사가 오가는 위태로운 상황이지만 아덴타는 그 모습을 여유롭게 내려다볼 뿐이다.

"그레이스가 돌봐주던 남자입니다. 그녀는 이 노숙자를 '호세'라고 하던데 신원 조회를 해보니 이름은… '좀비'더군요." 옆에 있던 헨리가 아직 죽지 않고 끙끙대는 호세를 아덴타에게 설명한다.

"별칭 말고 이름이 뭐냐니깐?"

"'좀비'라는데요."

"좀비? 이름이 '좀비'라고? 진심인가?"

"진짜 이름을 어떻게 알겠습니까. 그곳도 피실험자를 구할 때 사전에 신상정보는 찾아보지 않는 듯합니다."

"그곳이라 함은?"

"뤼디드요. 이 좀비가 오래전에 뤼디드 약물실험에 사용된 적이 있다는데요. 거기서 좀비라고 불렀답니다."

"다시 돌려주지 그래. 도망쳐 나왔던 것 같군. 그곳에서도 찾고 있었을 걸세."

"안 받는답니다. 보시다시피 사람의 몰골이 아니고…." 헨리가 호세를 쓰레기 보듯 내려다보며 말한다. "너무 오래됐군요."

아덴타는 호세를 한참 동안 내려다본다. 형체를 알아볼 수 없을 정도로 일그러진 그의 안면이 기괴하다.

"얼굴이 괴사 했는데…. 써니 실험이었나 보군. 딱 보면 알지. 써니를 만들었다며 대신 팔아 달라한 게 어제라는데, 연구는 꽤 오래전부터 한 모양이야." 아덴타는 그런 뤼디드의 기술력을 비웃는다. "그래도 그때부터 성과는 있었던 것 같군, 하하."

"오늘 새벽에 저희 신도 몇 명이 발프 병원으로 찾아갔지만 그렇게 맞고도 죽지를 않더랍니다."

"이런 것을 죽이려고 몇 명이나 힘을 뺀 건가? 죽이는 건 쉬우니 걱정 말게. 우리는 그저, 이 자를 최대한으로 뽑아 먹고 버리면 되는 걸세." 아덴타가 약간의 브랜디를 잔에 따른다. "아직 안 죽은 게 오히려 좋군."

아덴타가 손짓하자 헨리가 호세를 부축하여 일으켜 세운다. 호세는 힘없이 헨리에게 매달린다.

아덴타가 호세와 눈을 마주친다. 얼굴 반쪽이 괴사 한 호세의 왼쪽 눈만이 그가 쓴 까마귀 가면의 눈구멍 너머로 비치는 날카롭고 주름진 눈을 노려본다. 그리고 이내 호세는 컥컥거리면서 겨우 들고 있던 고개를 힘없이 떨어뜨린다.

"잘 듣게. 그레이스에게 르노라의 수술을 맡겼더니 한 시간 만에 식물인간으로 만들어버렸더군. 무능하기도 하지. 의사라는 것이 자격이 없더군." 아덴타다 읊조린다. "그레이스가 누군지는 누구보다 잘 알겠지."

아덴타, 즉 흑향기 조직이 그레이스를 노리는 이유는 그거였다. 그의 아내를 다량의 독으로 불구로 만든 것. 그러고는 고개를 들고 태연하게 잘 지내고 있는 그녀의 모습을 본 순간, 아덴타는 한 종교의 교주로서 고트 라프 신으로부터 한 가지 명령을 받았다고 느꼈다.

"매리앤은 몸이 얼음장처럼 차가워졌고 하반신은 형체를 알아볼 수 없을 정도로 괴사했지. 자네처럼 말일세. 그 약은 진통제 효과가 있던 것도 아니었어."

호세는 반응하지 못했지만 아덴타의 말을 전부 듣고 있다. 그레이스에 대한 배신감과, 그 배신감을 흐리는 그간 쌓인 복잡한 감정들이 올라와 그의 머릿속을 어지럽힌다.

"날 너무 나쁘게만 보지는 말아달란 말일세. 하긴, 자네가 이해가 아예 안 되는 건 아닐세. 납치돼서 이리저리 굴려지다 도망쳐 나오니 사회도 끔찍하지…."

"납치요?" 헨리가 확실하지 않은 사실에 의문을 가졌다.

"음? 아니오? 뤼디드 약물실험이면 끌려간 거지 뭐. 아하, 바로 이렇게."

그러면서 아덴타의 주먹은 매섭게 날아와 호세의 얼굴을 때린다. 호세는 눈을 부릅뜨고 그들을 보고 있으면서도 비명 한번 내지르지 않는다.

"주먹으론 안 죽는다니까요."

"아프면 말하겠지. 죽이는 건 알아서 할 걸세."

"얘는 얼굴과 혀가 같이 괴사 했습니다."

헨리가 호세를 바닥에 던지다시피 내려놓으며 말했다. 자세히 보니 정말로 호세는 입과 혀가 없고 목구멍이 곧바로 보인다. 어느 정도 골격을 유지하고 있는 턱뼈는 그의 하관을 채우지 못한 채 외롭게 동떨어져있다.

"그래서 말을 못한다고?"

헨리는 그렇다고 답했다.

"뮈니드는 도움 되는 년이 없는 선 여선하군. 결과적으로 어제 거래에서도 가방을 뺏겼다며?" 아덴타가 한숨을 내쉬며 말한다.

"기습을 당했답니다."

"분명 그들이야."

"다음에 보면 그대로 갚죠." 헨리가 거들었다.

바닥에 엎어진 호세는 팔다리가 비틀어진 채 쓰러진다.

"에드워드 학교로 데려가서 영안실에 대충 던져두고 방치하면 알아서 죽을 걸세. 어차피 거긴 별로 쓰지도 않네." 아덴타가 손짓한다. "돈도 안 들고 말이야."

헨리가 힘없이 늘어져있는 호세를 다시 집어 들고 학교로 데려가는 사이, 아덴타는 베시를 부른다.

베시는 손을 닦으며 기도실에서 나와 어깨에 가죽코트를 걸친 채로 다가온다. 팔에는 여러 거친 상처들로 그녀의 과거 행적이 기록되어 있었다. 마른 몸매였지만 그녀의 근육만큼은 남자 한두 명쯤은 거뜬히 때려눕힐 수 있을 만큼 다부져 보인다.

어둠 속에서 사람을 홀리어 죽이는 여우처럼, 그녀의 살인은 기괴하면서도 늘 확실했다. 여자임에도 불구하고 강한 정신력과 뛰어난 운동신경으로, 흑향기의 장로자리를 지키고 있는 그녀였다.

아덴타는 베시에게 권총 한 자루를 쥐여주며 말했다.

"성공하면 수당을 지급하겠네."

돈 얘기에 어김없이 베시의 귀가 솔깃해진다.

"수장님 이런 총알 아직도 쓰는 건 여전하네."

베시가 확인한 총알은 표면을 날카롭게 파 바깥으로 휘어, 적

중 시 더 고통스러운 상처를 남길 수 있게 개조된 총알이었다.

"위상은 똑똑히 드러내야 하지 않겠는가?"

"얼마 줄 건데?"

"일만 파운드. 인당 오천."

"죽여야 할 사람이 또 있어?"

"시계공도 같이."

베시는 아덴타에게 반말을 하는 것이 습관이 되었지만 그녀를 어렸을 때부터 딸같이 키워온 아덴타는 그것을 딱히 신경 쓰지 않았다.

*

〖 그레이스에게 사과 좀 하는 게 어때? 〗

갑작스러운 장발의 말에 나는 머뭇거렸다. 내가 사과를 해야 하는 이유를 찾지 못했으니까. 그러나 계속 이런 감정을 유지해 봤자 좋을 게 없을 것이라는 상발의 닦달에 결국 난 그레이스에게 마지못해 사과했다. 나와 먼 거리를 유지하며 앞서가던 그레이스도 확실히 그레이스는 마음이 여린 것 같았다. 그녀의 감정을 바꾸는 건 생각보다 쉬웠다.

"몇 년 동안 고생해서 겨우 병원에 취직했는데 도망가는 꼴이라니 제 자신이 너무 불쌍하네요." 그레이스가 한숨을 쉬고 곧 자신의 과거를 털어놓았다.

그녀는 열두 살 때부터 의사의 꿈을 가지고 열심히 공부하여 스물다섯 살 무렵 킹스칼리지 대학교 의학과를 졸업했다. 당시 사회에서 차별받던 여자임에도 불구하고 킹스칼리지에 입학한 것은 몇 년간 흘린 피땀과 노력의 결실이었다. 하지만 그레이스가 취직하기 원했던 가이스 병원이 채무초과로 인한 파산 위기에 놓이게 되자 뛰어난 실력을 가진 그녀를 받지 못하였고, 이후 그레이스는 몇 년간 이곳저곳을 수소문하며 취직할 명문 병원을 찾아다녔지만 개개인의 이유로 그녀를 받지 않았다. 그리고 1886년, 작고 작은 발프 병원에 가까스로 안착한 그녀는 누구보다 열심히 일했지만 이름이 알려지지 않았던 탓인지 그녀의 수입은 불안정했고, 돈을 아껴가며 지금껏 생계를 유지해 왔다. 그레이스는 발프 병원에서 일 년 남짓밖에 일하지 않았지만 겨우 잡은 자리를 놓치고 싶지는 않았지만 살기 위한 어쩔 수 없는 선택이었다고 한다.

그레이스는 힘들었던 과거와 겨우 잡은 끈을 놓을 수밖에 없게 된 자신의 처지가 생각하면 할수록 비참하기 그지없었지만 살기 위해서는 어쩔 수 없는 선택이었다고 했다. 뒤이어 그레이스는 본인이 암살 표적이 되리라곤 상상도 못했다고 덧붙였다.

어느새 킹스크로스역 부근에 다다랐다.

"시계 있어요, 클로드?"

내 옷 주머니 속에는 회중시계 세 개가 들어있었다. 아무리 기억을 잃었다지만 나는 이전에 시계공이었으니 과거의 내가 몇 개씩 들고 다녔으리라 추측했다.

"12시 7분." 그레이스에게 시계를 건네자 그녀가 시계를 받아 들고 시간을 읽었다.

자정이 조금 넘어간 시간이었다.

그레이스에게 기차역엔 왜 왔냐고 물어보았다. 도버는 반대쪽이 아니냐고 하니까 어떻게 도버까지 걸어서 가냐고 되묻는 그녀였다.

"기차라도 타려고 하십니까?"

"그럼 뭘 타고 가죠?"

"기차역은 문을 닫았을 텐데요."

그런데 이상하지, 어제와는 달리 오늘 기차역은 사람이 붐비는 모습이었다.

"봉쇄가 그새 풀렸습니까?"

그레이스는 나를 황당한 눈으로 쳐다보았다. 그러고는 기차역은 봉쇄된 적이 없다느니, 도버까지 걸어갈 바에는 가지 않겠다느니… 하는 말을 늘어놓았다. 뭐, 마음대로 하라지.

그레이스와 헤어지고 집으로 가는 길은 아주 평화로웠다. 장발이 이곳은 아주 위험한 동네라 자정이 넘은 시간엔 군인들이 특별순찰을 돌 정도라고 호들갑을 떨어대긴 했지만, 실제로 내가 거리에서 마주한 건 드물게 나무가 심겨진 거리 맞은편에 서있던 금발머리를 한 여자뿐이었다.

그녀는 잠시 망설이더니 내게 다가왔다.

"길을 잃어서요. 제가 런던은 처음인데 너무 어두워졌네요."

"그렇군요."

"집까지 데려다주실 수 있을까요?"

"제가요?"

"네."

"피곤한데요."

"별로 안 먼데."

"안 멉니까?"

"네, 가까워요. 늦은 밤이라 아무도 없어서 무섭네요."

"아무도 없다면 혼자 가세요. 전 들어가 보겠습니다."

"뭐가 그리 급한데요?" 여자가 물었다.

나는 그 대답에 급한 건 아니고 피곤할 뿐인 것이라고 답했다.

나는 그 대사를 뒤로한 채 집으로 걸어샀다. 골목의 모퉁이를 돌기 전 그녀를 힐끔 쳐다보았다. 그리고 그 순간, 나는 보고 말았다. 내게 총을 겨눈 그 여자의 찰나의 눈빛을.

탕!

한 밤중에 총성이 울려 퍼졌다. 여자가 품 안에서 총을 꺼내자마자 장발이 내 팔을 당겨 날 벽 안쪽으로 끌어와 총에 맞지는 않았지만 그 여자는 여전히 총을 겨눈 채 내게 다가왔다.

그녀가 흑향기 신도임을 직감했다.

순간 장발은 날 붙잡고 달리기 시작했다. 이리저리 꺾인 길이라 오랫동안 총의 사정거리 안에 노출 되지는 않았지만,

탕!

날 쫓아오며 조금이라도 각이 보이면 총을 쏘는 그 여자는 끝까지 나를 죽이려 들었다.

탕!

그녀가 왜 그랬는지는 몰랐다.

탕!

그리고 끝내 그녀는 기어코 내 어깨를 맞추는 데 성공했다. 건물 외벽 사이 그 작은 틈새로 쏜 총알이 무서운 소리를 내며 내 왼쪽 어깨를 스쳐간 것이다. 총알이 박히자는 않았지만 옷이 찢어지고 피가 흘렀다.

어깨를 부여잡고 달렸더니 그곳은 킹스크로스 역이었다. 공교롭게도 흑향기가 거래를 하던 그곳이었다. 그것이 의미하는 바는 단 하나였다. 막다른 길.

그녀도 이를 알고 있었을 것이다. 총을 매만지며 느긋하게 걸어오는 그 표정에서 나는 느낄 수 있었다.

죽음이 코앞에 온 이곳의 바닥에선 매캐한 흙먼지 냄새가 코를 찔렀다.

금발머리 여자는 최대한 가지고 놀겠다고 하면서 나를 돌담 벽에 내팽개쳤다. 쿵 소리를 내며 벽과 바닥에 동시에 부딪힌 나는 다리에 힘이 풀려 겨우 벽에 기대고 풀썩 내려앉았다.

남자가 여자한테 몸싸움을 졌냐고? 말도 마라. 내 체형이 왜소한 것도 있었지만, 금발머리 여자가 빠른 주먹과 다리로 집요하게 내 관절과 명치만 골라 때리니 나로선 이길 수가 없었다. 그녀가 손날을 세워 그것으로 옆구리를 찔렀을 때는, 말로 다 할 수 없는 고통에 비명소리 조차 나오지 않았으니까.

이젠 머리고 몸이고 다리고 날 마구 찔러대는 그녀에게는 살기와 광기가 동시에 느껴졌다. 저항하느라 힘은 빠질 대로 빠져버렸고, 심하게 얻어맞은 탓에 몸을 잘 움직일 수가 없었다.

"오천 파운드." 금발머리 여자가 흥얼거렸다. "그걸 누구 코에 붙이냐는 거야."

그녀의 흥얼거림은 계속되었다. 그녀는 리볼버를 흔들며 태연한 표정, 아니 어쩌면 아무런 감정도 느끼지 않는 것 같은 얼굴로 총구를 내 이마에 가져다 댔다.

금발머리의 권총의 총구가 이마에 맞닿는 것을 느꼈다. 죽는구나. 마음의 준비 따윈 안 했다. 어차피 잃을 게 없는데 죽는 게 나을지도, 나는 생각했다.

"머리에 총 맞으면 즉사한대. 믿기니? 난 직접 봐야 믿는 사람이라서." 금발머리가 기분 나쁘게 흥얼거렸다.

금발머리는 오른쪽 검지를 방아쇠에 살포시 올렸다. 이번엔 조금 흔들린 총구와 달깍거리는 소리도 함께 느껴졌다. 눈을 감고 그녀가 총을 발사하기를 기다렸다.

딱!

어디선가 돌멩이같이 딱딱한 것이 날아와 금발머리의 머리를 맞추고 바닥에 떨어졌다. 작은 회중시계가 요란한 소리를 내며 떨어진 후 깨져버리는 것이었다. 그녀가 아파하며 왼손으로 맞은 부분을 감쌌다. 소리가 컸던 것을 보니 어지간히 제대로 맞은 모양이었다. 때문에 금발머리의 이목은 그것으로 옮겨갔다.

그리고는 그레이스가 어깨를 앞세우고 달려와 금발머리에게 돌진하여 부딪히는 것이었다. 갑작스러운 충격으로 금발머리는 휘청거렸고,

탕!

방아쇠 위에 올려져 있던 그녀의 손가락 때문에 총알 한 발이 커다란 소리를 내며 엉뚱한 곳으로 발사되었다.

다시 중심을 잡고 일어선 금발머리는 그레이스에게 달려들었다. 금발머리는 알아서 찾아와 주어 감사하다고 하며 그레이스를 조롱하였다. 금발머리는 총을 갖고 있었다.

금발머리는 총으로 그레이스를 조준하려 했으나, 그레이스는 금발머리의 오른쪽 손목을 움켜잡고 위로 들어 올리며 저항했다. 그들은 둘 다 신중했을 것이다. 그레이스가 그녀의 손목을 잡고 총이 자신에게 향하지 않게 하려고 버르적거렸다. 바닥에 그려지는 두 여자의 그림자가 어지러웠다.

그레이스와 금발머리의 몸싸움은 내가 주저앉은 곳에서 그리 멀지 않은 곳이었다.

탕!

스스로의 손목을 심하게 꺾어 겨우 그레이스를 조준한 금발머리가 방아쇠를 당겼다. 잠시 뒤 그레이스의 복부에선 정체모를 액체가 흘러나왔다.

그레이스는 금발머리를 움켜잡고 힘없이 쓰러지기 시작했다. 금발머리가 냉정하게 그레이스를 떼어내자 그레이스는 그대로 바닥에 쓰러져서 배를 잡곤 숨을 헐떡였다. 배에서 자꾸 나오는 피를 스스로 지혈해 보았지만 점점 가빠지는 숨을 몰아쉴 뿐이었다.

이윽고, 지금껏 감정 따위 느끼지 않았던 내 눈가엔 눈물이 맺혔다. 눈물방울에 시야가 다 가려지는데 여전히 몸은 거의 움직일 수가 없었다.

몸을 움직이려고 움찔댈 때마다 구석에 쌓인 낙엽이 버석거렸다.

〔 네 누나도 기억 못해? 〕

"…?"

〔 그레이스 말이야. 네 누나잖아. 지금 죽어가는데? 〕

장발은 갑자기 나타나선 옆에서 울분을 토했다. 그렇다면 왜 지금껏 말해주지 않은 거지? 갑자기 더 큰 죄책감이 날 옥죄기 시작했다.

눈앞에서 목격한 가족의 죽음, 그리고 눈앞에 닥친 나의 죽음, 이해할 수 없는 장발의 행적. 머릿속은 여러 가지 복잡한 생각들로 감싸였고 마음속에서 올라오는 어지러운 감정들을 절제할 수가 없었다.

몇 초 후 장발이 소리쳤다.

〔 죽었잖아! 〕

"의사는 죽였고, 너까지 죽이면 일만 파운드야."

죽어버린 그레이스를 뒤로하고 나를 죽이러 금발머리가 흥얼거리며 다가오는 것이 느껴졌다. 달칵 소리가 났다. 총의 탄창을 확인하는 소리였다.

"뭐야, 젠장할!" 금발머리는 흥얼거리다가 갑자기 짜증을 내며 내 앞에 쭈그려 앉았다. "총알이 없네!"

그녀는 텅 빈 리볼버를 바닥에 던져버렸다.

"아쉽게 됐네. 머리에 맞으면 즉사하는 건 못 보게 됐어. 복부에 맞는 건 봤는데. 아, 근데 인중을 강하게 맞아도 즉사하는 거는 알고 있니?" 금발머리가 말했다.

금발머리가 끼고 있는 장갑에 중수지 관절을 비롯한 여러 곳에 박힌 금속 가시들이 달빛에 비쳐 눈부시게 빛났고 그녀의 목소리는 내게 극도의 공포감을 주었다.

저 주먹에 얼굴을 맞으면 어떻게 될까? 아마 장갑에 박힌 가시에 코뼈가 뚫리거나, 주먹이 너무 강하다면 두개골이 박살나겠지.

도망은 갈 수조차 없었다. 그녀에게 맞서지도 못하는 상황에 이곳에서 벗어나는 것조차 불가능에 가까웠다.

그러나 곧바로 장발이 벌떡 일어나더니 오른발로 금발머리를 힘껏 걷어찬 것은 순식간에 일어난 일이었다. 갑작스러운 기습공격에 금발머리는 퍽 소리를 내며 뒤로 고꾸라졌다. 하지만 금발머리가 몸이 자유로운 장발은 애써 무시하는 것도 이상했고, 그가 자신에게 다리를 힘껏 휘두를 때까지 가만히 보고만 있던 것도 이상했다. 금발머리와 장발은 계급적으로 이미 차이가 있던 관계였던 것일까, 나는 추측했다.

장발은 성큼성큼 걸어가 금발머리가 생각 없이 던져놓았던 총을 쥐어든 후 그녀에게 겨눴다.

나는 있는 힘껏 고개를 들어 그 상황을 모두 지켜보았다. 마음 같아서는 장발과 함께 금발머리에게 협공을 가하고 싶었지만, 팔과 다리에 힘이 들어가지 않는 것은 여전했다. 지켜만 볼 수밖에 없었다.

고개를 든 금발머리는 장발을 바라보았다. 그들은 서로의 눈을 마주치더니 아무 말이 없었다. 장발은 우두커니 서서 총을 겨눈 채로 금발머리를 내려다보았고, 금발머리는 바닥에 엎어진 채 고개를 들어 아무렇지 않다는 표정으로 장발을 올려다보았다.

순식간에 기세가 역전되었다.

장발의 무수한 광기가 그녀를 공포로 몰아넣는 것이 느껴졌다. 금발머리가 어젯밤 신상정보 거래현장에 있었다면 장발의 모습은 기차역 진장 지지내에서 봤을 테니까 그녀의 기억에서 되살아나겠지.

"신이시여, 총알이 남아있다면 저 악마가 저를 죽이게 내버려 두소서." 금발머리는 죽음 앞에서도 그 떳떳함을 굽히지 않았다.

어쩌면 그녀는 아직은 죽음이 두렵지 않은 것일지도 모른다. 금발머리의 입가엔 비웃음의 미소가 번졌다. 리볼버에 더 이상 총알이 장전되어 있지 않다는 것은 여기 있는 모두가 아니까.

〖'신은 죽었다.'〗 장발이 말했다. 〖…니체.〗

그는 뒷주머니에서 작은 총알을 꺼냈다. 내가 필요 없다고 생각하여 버리듯이 던져준 호세의 총알이었다. 금발머리의 리볼버와 호환되는 총알이었는지 총을 장전한 장발 앞에서 금발머리의 표정이 삽시간에 바뀌었다.

이내 장발은 다시 총구를 금발머리 쪽으로 향하게 했다. 사실 나는 거리를 두고 지켜보기만 했을 뿐이지만 나까지 두려운 것은 사실이었다.

와중에도 금발머리는 태연하게 장발에게 말을 걸었다.

"요즘은 총알도 별개로 가지고 다니나 보지?" 금발머리가 날카롭게 말했다.

〖지금 가치 있게 쓸 수 있게 되었지.〗

"너, 생각보다 재밌어."

〖나도 알아. 많이 들어.〗

금발머리는 마지막 자존심을 지키고 있느라 자신의 처지는 모르고 있었다. 범죄조직이라는 화려한 별칭에 잔뜩 취해 죽음 따위 아무렇지 않다는 듯 여유를 부리는 어리석은 짓이었다.

"죽여 봐. 어차피 그레이스는 죽였으니. 고트 라프 신이 마무리하시겠지." 베시는 멈추지 않고 혀를 놀렸다. "지옥에서 썩으라는 얘기야."

〚이미 그러고 있는데? 오, 베시. 추해서 못 볼 지경이야.〛

장발은 절대로 물러서지 않았다.

"날 죽이면 아덴타가 퍽이나 가만히 있겠어. 그는 날 사랑하고 있을 거야."

〚…흑향기? 그 작자는 이미 움직이고 있잖아.〛

장발이 다시 한번 팔을 치켜들어 올려서 금발머리의 머리를 겨눴다.

〚인중을 강하게 맞으면 즉사하는지는 모르겠어. 근데 총은 확실하단다.〛 마지막 조롱이었다.

하지만 장발은 이내 방아쇠를 당기려고 했으나 결국에는 쏘지 않았다.

"잠깐만." 그를 말린 것은 다름 아닌 나였다. "내가 쏠래."

가족을 죽인 사람은 내가 쏠 생각이었다.

아까부터 고생한 보람이 있었다. 장발이 금발머리에게 윽박지르며 실랑이를 벌이고 있을 때 몸의 근육을 천천히 이완시켜 마비를 풀어냈다. 마비를 푸는데 집중을 한 이유는 오직 이것이었다.

장발이 내게 총을 넘겨주자 나는 금발머리를 조준하고 방아쇠를 당기려 손가락에 힘을 주었으면서도 총성이 울리는 그 순간, 두려움에 몸을 떨어야 했다. 하지만 금발머리를 죽이는 건 그 두려움을 감당할 가치가 있었다.

탕!

한 발 밖에 없는 총으로 그녀의 머리를 노렸다. 그 순간에 덜 컥 겁이 나기도 했으나, 뜨겁게 달궈진 리볼버의 총구에서 피어나 는 하얀 연기는 어째서인지 나를 안심시켰다.

총을 쏘기 직전, 마지막으로 본 것은 흔들리는 동공과 함께 현 실을 깨닫는 금발머리의 표정이었다.

동시에 나는 또 다른 무언가를 보았다. 금발머리를 몇 번이고 계속해서 죽이는 모습이 눈에 아른거렸다. 환상속의 그녀는 총에 맞아 숨을 거두고도 어느새 다시 리볼버 앞에서 벌벌 떨고 있던 것이었다. 그러나 나는 이것이 무엇을 의미하는가 생각하기를 그만 두었다. 머리가 지끈거렸다.

나는 왼손에 리볼버를 쥐고 검은 피를 흘리며 죽어있는 금발머 리 앞에 묵묵히 서있었고, 장발은 도망쳤는지 그 모습이 보이지 않 았다.

눈앞에서 사람 둘이 죽는 것을 모두 보고 충격에 빠져 슬픔에 잠겼지만 어느새 더 이상 흐르지 않는 눈물은 이성을 되찾게 도와 주었다. 금발머리는 잘 죽였어.

이렇게 쉽고 허무하게 끝나는 것이었다니. 감정과 복잡했던 마 음이 전부 파도처럼 떠내려가는 것이 느껴졌고 눈앞에는 처참하게 죽어있는 두 여자뿐이었다. 그렇게 그레이스를 살리자는 장발도 그 녀가 죽고 일이 끝나니 끝내 도망친 모양이다.

묵묵히 주위를 둘러봤다. 언제나 그랬듯 죽음 따위에는 이렇다 할 감정이 느껴지지 않았다. 금발머리의 죽음 이후 머릿속의 감정 들이 마구 꼬이는 느낌을 받았다.

아무런 일도 없었다는 듯 금발머리의 시체 위에 총을 툭 던져 두었다. 방금까지 나를 그렇게 조롱하던 사람의 시체 위에 총을 올려놓고 있었다. 그리고 나는 그레이스가 던졌던 박살 난 회중시계를 집어 주머니에 고이 넣고 집으로 유유히 걸어왔다. 그 뒤로 난 집에 틀어박혀서는 밖으로 나오지 않았다. 감정적으로는 점차 둔해지고 생각은 많아졌다.

그래, 나랑은 전혀 상관없는 일이었던 거지. 그저 재수 없게 휘말리게 된 것 뿐이었어. 하지만 누나를 살리지 못한 것은 좀 슬퍼.

나는 아쉬움을 달래는 마지막 표현으로 일기를 써 내려갔다. 지금까지 있었던 일들이 주마등처럼 지나가니 내가 곧 죽을 사람인 것 같았다.

내가 눈을 떴을 땐, 감정과 기억이 사라진 나라는 껍데기에 불과했고 이미 내가 지금껏 쌓아 올린 탑이 무너진 뒤였다. 알 수 없는 무언가로부터 도망쳤을 땐, 끝없는 어두운 앞길만 보고 달렸으나 장발이라는 정체성을 받아들이고 주위를 둘러보니 내가 보지 못했던 웅장한 것들이 내 눈에 들어왔다.

그리고 다시 떠오른 것은, 그레이스가 숨을 거둔 순간에 장발이 한 말이었다. 그레이스는 살해당했다던 내 누나였지만 기억을 잃었기에 지금까지 몰랐을 뿐이었다는 것. 그레이스는 나와 같은 피를 나눈 가족이었다고. 어째서 이제야 알았을까 스스로가 어리석었다.

그녀가 나의 마지막 가족이었다는 것을 깨달은 지금, 따뜻하고도 차가운 가족의 존재가 나의 정신을 깨우고 기억이라는 탑의 뿌리를 되찾는 줄 알았다. 나를 이끌어 갔던 이름 모를 그와 우둔했던 내가 한 사람의 생명을 살리는 줄 알았다. 삶은 뿌리처럼 퍼지고 퍼져 피폐해진 이 도시에 희망을 넣는 줄 알았다.

나는 내 할 일을 했고 후회는 없다. 죽지 못해 살아왔으나, 여선히 세상은 노는 섯이 빠르고 각박하기만 하다.

이것이 모두를 기리는 하나의 서랍이 되길 기원하며 잉크가 뚝뚝 떨어지는 펜을 조심스레 내려놓았다.

고양이가 벽을 긁으며 알 수 없는 기괴한 소리로 울어댔다.

나는 주머니를 뒤적거렸다. 주머니 깊숙한 곳에서 심하게 깨져버린 회중시계가 잡혔다. 이 시계가 아니었으면 나는 그때 곧바로 죽었겠지. 이것은 내 생명을 연장해 주었다. 나는 곧 그 시계를 내 작업 책상에 올려두었다. 시계에 딱 맞는 도면 위에 올려두고 설계도를 펼쳤다.

조명을 켜자 창문에서 무언가를 크게 잃고 상실감에 빠져버린 모습의 사내를 보았다. 나를 더욱 힘들게 한 사실은 창문에 비친 그가 바로 나라는 것이다. 그는 어디서나 내 옆에서 그날의 악몽을 읊어줄 것 같은 것이 그, 아니 내 모습을 보고만 있어도 지금까지의 짧고 굵었던 기억이 계속해서 떠올랐다.

머리를 풀어 목까지 늘어뜨린 내 모습은 이곳에서 '기억의 날'의 나와 같았다. 다시 그때로 돌아가면 나는 오늘보다 더 잘할 수 있을 것이라는 생각이 들었지만 눈치 없는 시간은 뒤도 돌아보지 않고 흐르고 있었다.

시간이 흐를수록 가족을 지킬 수 있는 기회를 놓쳐버렸다는 상실감과 미처 전하지 못한 마음은 나의 마음 한구석에 단단히 박혀 점점 커져갔고, 나는 며칠간 한 끼도 먹지 않았다.

반쯤 정신이 나가버린 상태라는 걸 나 스스로 인지하게 되었다. 차라리 눈을 감고 의식을 완전히 놓는 것이 나았다.

그렇게 그 뒤로 기억이 끊겼다.

*

서서히 정신이 들었고, 어느 순간 갑자기 쿵 하며 떨어지는 느낌이 들자 화들짝 놀라며 잠에서 깼다. 몸은 아팠지만 머리가 개운한 것을 보니 꽤 오랫동안 잔 모양이었다.

고개를 돌려 창밖을 보니 해가 저물고 있는 늦은 저녁 즈음이었다. 나는 차갑고 먼지가 조금 쌓인 바닥을 딛고 침대에서 일어나 식탁 위에 있던 생선과 감자로 간단히 배를 채웠다.

당장 내가 무엇을 해야 할지는 생각이 나지 않았지만, 그것은 그렇게 중요한 것이 아니었다. 사실 나는 왜 내가 낮잠을 자고 저녁이 돼서야 일어났는지도 몰랐다. 알 필요도 없었다.

오늘따라 왠지 모르게 어색한 느낌이 나는 책상 위에는 작은 회중시계에 들어가는 부품들이 잔뜩 널브러져 있었는데. 나는 그것의 개수를 세던 중 앤드루 경이라는 사람이 나를 찾아왔다. 며칠 전 나의 누나가 살해당했고 그녀를 살해한 범인은 그곳에서 자살을 한 것으로 추정한다고 전했다. 나는 얼굴도, 이름도 기억나지 않는 누나의 죽음에는 관심이 가지 않았다. 감정을 느끼지 못하는 나는 슬프지 않았다. 아니, 슬플 수 없었다.

서늘한 향기가 짙은 오후에는 적적함만이 공기에 스며들어 그 한기를 곳곳에 전했다.

[신문기사 / 1887년 9월 23일 자]

「'킹스크로스 살인사건, 두 명 사망, 최고의 증기기관차 역 일부 봉쇄…'

거대한 규모도 개입하사마사 런넌의 상상불이 된 기차역, 킹스크로스역에서 며칠 전 살인사건이 일어났다. 인적이 드문 뒷길에서 발생한 이 살인사건은 두 사망자 모두 현장에 있던 작은 미국제 리볼버 한 자루로 인해 사망하였다. 각각 복부, 머리에 총상이 있었으며, 한 명이 다른 한 명을 살해하고 자신도 그 자리에서 자결한 것으로 추정된다. 사건의 전말을 조사하기 위해 런던 내 지역 경찰 측에선 킹스크로스역을 장기간 봉쇄하겠다는 입장을 내놓았다.」

영원한 것은 없다. 시간의 무한굴레라 할지라도, 언젠간 끊어지기 마련이니까. 특정한 이틀만이 반복되던, 내겐 지옥과 같았던 9월의 시간이 다시 흐르기 시작했다.

이번에도 눈앞에는 처참히 죽어있는 두 여자가 있고 내 손에는 리볼버가 있었다.

오늘도 하루가 끝났구나. 나는 생각했다.

한 명은 내가 쐈다. 나는 홧김에 사람을 살해한 살인자다. 내가 무한한 시간의 굴레에 갇혔다는 것을 눈치채고 난 후부터 벌써 서른한 번째 똑같은 사람을 쐈다. 나는 그 시간 동안 그곳에 갇힌 것이었다.

어쩌면 더 긴 시간이었을지도 모른다.

내가 시간의 굴레에 갇혔다는 사실을 안 것은 금발머리를 두 번째 쐈을 때부터였다. 그녀를 쏘면 지금까지 쌓인 기억들조차 돌아왔고 곧바로 똑같은 사건이 내게 반복되고 있다는 것을 알게 된 것이다. 하지만 다시 '기억의 날'로 돌아와 눈을 뜨면 지금까지의 기억이 깔끔하게 사라지고 어제와 오늘 있었던 일은 무한히 반복된다. 나는 그것을 알고 있으면서도 또 잊어버리고 금발머리의 머리를 쏘고 난 후에야 내 기억은 돌아온다.

나는 두 시체 중 하나의 시체 위에 권총을 살포시 올려놓았다. 물건은 주인이 가져가는 것이 맞으니까. 이놈은 한평생 이 권총과 함께하며 무자비한 암살을 즐겼을 것이다. 나는 그저 그녀가 아끼던 물건과 같이 저승길을 걷게 해 주었다. 어디를 가던 자신이 애지중지하는 물건을 챙겨 가면 마음이 한결 편할 것이다. 사체에 대한 마지막 배려라고 생각하면 된다.

바닥에 떨어진 박살 난 회중시계를 챙기고 집으로 돌아갔다. 서른한 번째 집으로 돌아가는 길이라고 정말 익숙한 것처럼 곧잘 되돌아갔다. 내가 느끼는 시간으로 벌써 한 달째 하루하루가 똑같이 반복되고 있으니 별다른 특이점은 기대하지 않아도 좋다.

집으로 돌아온 나는 암울한 현실에 지쳐 다시 침대에 누워 기억과 의식을 잃고 쓰러지기를 기다렸다. 일기 따윈 쓰지 않았다. 다음에 눈을 뜨면 일기를 썼다는 사실조차 잊어버린다. 그렇게 다시 어제로 돌이기 오늘을 맞아야 한다.

지금까지 이 시간 속에서 벗어나기 위한 많은 시도를 해왔다. 의식을 잃기 전 최대한 많은 기록과 흔적을 남겨놓았지만 다음에 기억을 잃고 눈을 뜨면 어디로 갔는지 찾은 적이 없다.

또한 쓰러지지 않기 위해 뜬눈으로 몇 날 밤을 버텨도 봤지만 피곤하고 과로한 몸은 어느새 잠시 눈꺼풀이 닫히면 의식을 잃었다. 그래서 그냥 이것들을 수긍하며 이 시간 속에서 살기로 했다.

긍정적으로 생각해서 나는 더 이상 늙지도 않고 병들지도 않는다. 웬만해선 죽지 않는다는 것이다. 오늘 날짜를 외우며 셀 필요도 없었고, 예측하지 못한 커다란 사고에 놀랄 일도 없었다. 반복되는 이 모든 것들은 전부 알 수 없는 신의 시나리오대로 흘러가는 것 같았다.

편안한 자세로 스스로 눈을 감았다. 다시 눈을 뜬다면 앤드루경이 찾아와 내 누나의 사망소식을 알려주는 것부터 시작해서 내가 금발머리를 쏘는 것까지 다시 반복되겠지. 나는 앞으로 일어날 일에 대해 이미 알고 있음에도 다른 변화를 줄 수 없었다.

시간이 반복될 때마다 하늘에 있는 구름의 모양과 내가 보는 앞에서 자유롭게 날아다니는 새들도 바뀐 것이 없었다. 똑같은 시간 속에서 살아야 하는 것은 물론, 더 이상 색다른 하늘과 새로운 새들도 볼 수가 없다. 나는 미래도 없고 변함없는 고통만이 즐비한 이 굴레가 바로 사람들이 흔히 말하는 '지옥'일 것이라고 확신했다.

눈을 감아 잠에 빠져들기 전 여러 생각들이 내 머릿속을 스쳐

지나갔다. 그레이스와 금발머리가 죽게 되는 사간이 무한히 반복되는 동안 나는 그것이 흐름대로 잘 흘러가게 하는 역할을 하는 셈이다.

결말이 정해져 있는 시나리오 속에서 죽을 때까지 그 역할을 수행할 것이다. 아니, 늙지도 않고 병들지도 않으니 죽지도 않겠지. 그것들은 나름 장점이라고 생각해 온 것들인데 이 시간의 굴레에 대해 깊이 생각할수록 장점들은 전부 단점으로 바뀌었다. 깊은 한숨이 안 나올 수 없었다.

문 두드리는 소리가 났다.

잠들지 못하고 시간만 흐르다가 누군가 내 문을 두드렸다. 굳이 보지 않아도 알 수 있듯이 앤드루 경의 노크소리다. 그가 또 찾아왔다는 것은 지옥 같은 쳇바퀴의 시작을 알리는 것이었다. 문을 열면 '다니엘?'이라고 할 것이 뻔했다.

아?

…아니. 방금 노크소리는 앤드루 경이 아니다. 앤드루 경은 내가 기억을 잃은 후에만 찾아오기에 그가 날 찾아올 때면 난 그를 기억하지 못해야 정상이다. 나는 여전히 앤드루 경을 기억하고 있는 상태였다. 시간이 계획대로 흘러가지 않았다는 것은 그 굴레가 끊겼다는 것인가?

나는 설마 하는 마음에 놀란 가슴을 부여잡고 침대에서 벌떡 일어나 현관문을 열었다. 지겹도록 반복됐던 이 시간에서 나올 수 있다는 희망이 앞섰다.

문 앞에는 아무도 없었지만 바닥에 웬 우편물이 있었다. 우편배달부가 우편물을 던져두고 간 것 같았다.

그것은 어느 연회의 초대장이었다.

「당신을 고번트리 백작의 생일파티에 초대합니다.
1887년 10월 1일 목요일 오후 10시
런던 세인트 케이든 궁전 1층 연회장
-코번트리. E. T. 백작-」

10월 1일. 9월 말부터 한 달 만에 처음으로 맞이하는 10월의 첫 번째 날이다. 이것은 다음을 의미했다. 드디어 시간의 굴레에서 나올 수 있다는 것. 그리고 굴레에 전혀 영향을 끼치지 않은 또 다른 누군가에게 초대장을 받았다는 것.

내게는 선택권이 없었다. 코번트리 백작의 생일파티는 무수히 반복되어 왔고, 앞으로도 반복될 시간의 굴레에서 벗어나 새로운 시간을 맞이할 수 있는 하늘이 주신 기회였다. 망할 이 시간에서 나갈 수 있을 것이라는 생각이 들었다. 이대로 시간이 지체되면 다시 의식을 잃을 것 같았다.

하지만 나는 내가 왜 이 연회에 초대되었는지 알 수 없었다. 애초에 코번트리 백작이라는 이름을 처음 들어볼 뿐 아니라 그와 어떤 관련이 있는지도 모르기 때문이다. 그래도 백작이라는 높은 직위에게 초대된 나라는 하층민, 고작 시계나 만들며 수십 번씩 같은 사람을 죽여 온 내가 화려한 연회에 초대되었다는 사실은 나를 기쁘게 했다.

정확한 사실은 모르지만 과거에 내가 그런 높은 사람과 관계가 있을 것이라는 사실에 자부심이 들기도 했다. 수많은 시간 동안 감정을 잘 느끼지 않았던 내 마음속에 새로운 감정이 피어나는 것 같았다.

시계를 보니 시간은 새벽 2시를 향하고 있었다. 두 시간 전인 자정에 그레이스와 병원차를 타고 나오다가 봉변을 당했고, 집에 돌아온 것은 한 시간 전이었으니까 그 모든 것은 한 시간 만에 이루어졌다는 거다. 그 당시에는 일분일초가 고통스러웠고 흐르는 모든 시간이 열 시간처럼 느껴졌는데 말이다.

몇 시간이 지나고 아침이 밝았다. 나는 문을 열고 거리로 나왔다. 따스한 햇빛이 내리쬐는 이 풍요로운 거리는 장장 처음이었다. 드디어 나도 아침의 햇살이라는 것을 마주할 수 있었다.

비둘기들이 훨훨 날아다니고 거리에는 각자 자신만의 색을 가진 사람들이 북적였다. 검붉은 색인 줄 알았던 햇빛은 거리를 푸르고 샛노랗게 색칠했다. 사람들을 태우고 이동하는 교통마차가 울퉁불퉁한 돌 도로에 덜컹거리고 여기저기서 하얗고 까만 개들이 저마다 뛰어다녔다.

숨을 깊게 들이마실 때 내 폐 속으로 들어오는 상쾌한 공기들은 내가 무한한 상상 속의 동화 속으로 와있는 것 같이 느끼게 했다. 온갖 범죄로 악명 높은 도시였다는 것을 잠시나마 잊었던 시간이었다. 수십 번씩 고통받아온 거리가 맞는지 나로 하여금 의심이 들었다.

지금까지 나는 아침을 본 기억이 없었다. 오늘의 이 상쾌함은 내게 큰 의미가 있었다. 이것은 새로운 시작을 의미하는 커다란 상징이고, 기억을 전부 잃은 후로 처음 맞이하는 나의 아침이라. 속박의 시간에서 벗어나고 활기찬 앞날을 예고하는 축복이라. 모든 것이 아름다웠다.

시간은 흐르고 흘러 초대장을 받은 날부터 며칠이 지났지만 다행히 지금까지 다시 의식을 잃지는 않았다. 잠들면 그대로 의식을 잃는 짓일까 두려워서 악으로 버티며 몇 날밤을 샌 적도 있다.

과로에 얼마나 찌들었을까, 며칠 전 잠을 자지 않는 것이 너무나 힘들어서 의식을 잃는 것을 각오하고 잠에 든 후 다시 일어났을 땐, 의식을 잃지 않았다. 돌고 도는 시간의 굴레가 서서히 끊기고 있다는 것을 직감했다.

그렇게 연회 당일 아침이 밝았고, 그날의 내 기분은 최고조에 다다랐다. 내가 정말 감정을 제대로 느끼지 못하는 사람이라는 것이 의심스러울 지경이었다.

시원하게 샤워를 하고 나온 후 벽에 붙어있는 작은 문을 열자 초라한 옷 방이 나왔다. 아무리 둘러봐도 내가 연회에 입고 갈만한 옷은 오른쪽 벽에 걸려있는 흰색 셔츠와 까만 바지뿐이었다. 전부 늘어지고 후줄근한 천 쪼가리들이었지만.

바지를 입고 주머니에 손을 넣자 잔뜩 구겨진 종이가 만져졌다. 적어도 몇 개월은 그 바지주머니 속에서 방치된 채로 있었던 것 같았다. 종이의 가장자리는 이미 손상될 대로 손상되었다.

「다니엘, 요즘은 잘 지내고 있나요? 소식을 전혀 전해 들을 수 없어 도통 알 수가 없네요. 내일이면 드디어 만날 수 있어 좋아요. 오랜만에 보려니 하는 일이 손에 잡히지 않을 정도로요. 오늘 저녁에 바로 솔즈베리로 갈게요. 그럼, 안녕.

1884년 3월 18일. 이사벨.」

이사벨이라는 여자(확실하지는 않지만 여자이름이지 않은가.)가 직접 쓴 것으로 추정되는 친필편지였다. 발신자가 '다니엘'이라는 사람인데 왜 내 여기에 있는지가 의문이었다. 편지는 '기억의 날' 3년 전인 1884년이었다.

그러고 보니 최근 이 집에서 다니엘이란 이름을 쉽게 찾을 수 있었다. 물건마다 삐뚤삐뚤하게 새겨진 이름, 색이 변질되어 일부 글씨만 조금 알아볼 수 있을 노트의 글도 다니엘이라는 사람의 1인칭 시점이었다. 이 집은 내 집이 아니라 다니엘의 집인 건가?

연회의 초대장은 내가 아닌 다니엘에게 왔던 것일지도 모른다. 다니엘은 지금 어디에 있는 걸까. 연회에 가면 다니엘이라는 사람을 찾아보기로 마음먹었다.

나는 최대한 나 자신을 꾸미겠답시고 옷장에서 꺼냈던 그 옷을 깔끔하게 차려입었다. 이사벨의 편지는 고이 접어 작업실 서랍에 넣었다. 지저분한 머리카락은 단정하게 묶었고, 먼지 쌓인 신발을 닦았다. 내가 할 수 있는 한 최대로 나를 꾸몄더니 전과 같지 않은 새사람이 되어있었다. 다니엘의 옷은 다행히 나와 꼭 맞았다.

앞으로 있을 모든 것들이 기대되었다.

*

10월 1일 오후 5시, 나는 이윽고 연회가 열리는 세인트 케이든 궁에 도착했다.

아침부터 오후까지 기다리는 시간은 또 하나의 지루한 카이로스였다.

한 시간 정도 걸어왔기에 내 몸은 한껏 지쳐있었다. 그래도 들뜬 몸은 한 시간의 도보를 거뜬히 버텨냈다.

세인트 케이든 궁의 내부에서는 초대장을 받은 사람들을 일찍부터 받아주었고, 나도 그곳에서 휴식을 취하기 위하여 지친 몸을 이끌고 안으로 들이갔다.

입구에는 화려하게 차려입은 시종들이 손님들에게 차례로 인사를 했고, 거대한 문을 따라 들어간 궁의 내부는 정말 아름다웠다.

높은 천장과 밝은 조명들이 웅장함을 자아냈고, 밖으로 비치는 궁 외부의 공원들은 나의 마음을 움직일 정도로 아름다웠다.

그저, 지금까지 이런 것들을 본 기억이 없어서였을까, 지금 내 눈앞에 펼쳐지는 모든 것이 신세계였다.

어쩌면 이것이 내가 아주 오랫동안 기다려온 것이었을지도 모른다.

나는 나처럼 연회에 초대된 손님들이 모여서 웅성거리는 곳으로 들어갔다. 전부 화려한 턱시도와 드레스를 입고 왔는데 나 혼자만 값싼 셔츠를 입고 온 것이 민망했다.

식탁보들이 줄지어 있는 식탁에는 거대한 접시들이 배치되어 있었고, 후에 연회가 시작되면 그 위에 음식이 올라갈 것이라고 예상했다.

나는 빈 의자에 앉아 심호흡을 했다. 잔잔한 클래식이 나오는 거대한 연회장. 그곳에서 심호흡을 하고 있으니 마음이 안정되는 것은 두말할 것도 없었다.

너무나 웅장했기에 되레 부담감이 들었다.

아직 연회는 시작되기까지 다섯 시간 정도나 남았지만, 벌써 시작된 것 같은 분위기였다.

"신사숙녀 여러분, 와주셔서 대단히 감사드립니다. 오늘 실컷 즐기고 가주십시오!"

오후 10시가 되자, 어디선가 연회장으로 들어온 수염이 매력적인 남자의 큰 목소리가 연회의 시작을 알렸다.

그가 힘껏 외친 목소리는 어찌나 컸던지 넓은 연회장 내부에 전부 울려 퍼졌다.

많은 사람들이 환호하며 이곳의 내부는 상당히 시끄러워졌다. 물론 그 환호소리는 곧 잦아들긴 했지만, 3분만이라도 더 지속됐다면 버티지 못했을 거다.

정장을 차려입은 시종들이 양팔 가득 커다란 쟁반을 올려놓고 줄지어 나와 식탁 위에 푸짐한 음식들을 올렸다. 처음 보는 어마어마한 양의 음식들은 윤기가 흘렀고, 맛 또한 훌륭했다.

나는 모두가 즐기는 이 공간이 바로 사람들이 흔히 말하는 '천국'일 것이라고 확신했다.

거대한 창밖은 어두워졌기에 아무것도 보이지 않았다.

분명 '기억의 날'과 다를 것이 없는 하늘이었는데, 오늘따라 밤하늘과 그곳을 수놓는 별들이 그때와 다르게 아름다웠다. 눈에 띄는 색감으로 군데군데를 장식하는 구름 또한 예술이었다.

사람들은 서로 담소를 나누며 음식을 즐겼지만, 나는 아는 사람이 없어 조용히 앉아 먹기만 했다. 물론 이 분위기 자체를 상당히 즐겼다. 굳이 소통을 할 사람이 필요 없었다.

주위를 둘러보며 다니엘을 찾았다. 그에 대한 정보는 아는 것 하나 없었지만, 그냥 우연이 눈에 들어오면 인사부터 건네야겠다는 심정이었다. 안되면 말고.

또 나와 연결된 사람들도 만나볼 필요는 있다고 생각했다. 지금은 말고.

한참 분위기에 취해 혼자 낭만적인 시간을 누리고 있었다. 술만 마시면 얼굴이 후끈 달아오르고 빨개지는 걸 보고 스스로가 술을 마시지 못하는 사람이란 걸 깨달은 지는 몇 분이 채 안되었다. 때문에 와인 잔에 담은 포도 주스로 그 기분을 흉내 내어볼 뿐이었다.

혼자 하나의 패턴을 반복했다. 제공된 스콘을 아주 조금 떠먹고, 포도 주스를 와인이라 생각하며 마신다. 그리고 우아한 연회장의 향기를 한껏 들이킨다. 그리고 생각한다. '내가 이곳에 있다.'

스콘을 떼어 입에 넣고, 포도 주스를 들이켜고, 냄새를 맡고, 여기에 있음을 느끼고….

스콘을 떼어 입에 넣고, 포도 주스를 들이켜고….

"어라," 누군가의 짧고 감탄사가 몰입을 깼다. 가늘지도, 굵지도 않은 여성의 목소리였다.

"그거 내 잔인데." 눈을 들자 어느 여자가 내 손에 있는 와인 잔을 가리키고 있었다.

맙소사, 내가 무의식적으로 가까이 있는 남의 잔을 든 모양이다.

"죄송합니다."

잔을 내려놓았지만 속으로는 그녀에게 미안한 마음보다 잔에 든 와인을 마셨을 거라는 걱정이 앞섰다. 잔의 주인은 무뚝뚝하게 넘겼지만 그 뒤가 문제였다.

그 여자는 사회적으로 직위가 높은 사람이었는지 연회에 함께 온 그의 추종자들로 보이는 다른 여자 네 명이 나를 쏘아붙였다. 대충 '감히 높고 높으신 로즈님의 잔을 들다니. 이런 미천한 놈.'이라는 내용의 욕설들이 내 귀에 들어왔다. 물론 자세히는 듣지 않았다.

그때, 추종자 중 한 명이 내 멱살을 잡았다. 두둑 소리와 함께 내 셔츠가 늘어났다. 연회에서까지 시비를 걸다니.

나보다 키도 작고 힘도 약한 여자였다. 내가 작정하고 그녀를 밀쳐내면 이 여자는 그대로 바닥에 엎어졌을 것이다. 하지만 난 그녀의 독기가 가득한 눈동자를 바라보았다. '로즈님'에 대한 충성심인 것일까?

고작 실수로 잔을 들었다고 이러는 것 아닌가. 이 버릇없는 추종자에게 멱살이 잡힌 채 가만히 있었는데 내 멱살을 잡겠답시고 팔을 머리 위로 치켜들고 있는 그녀는 벌써 혼자 끙끙대고 있었다.

그때, 잔의 주인이 추종자들에게 꾸짖었다.

"소피아, 저분이 누구신지 모르는 건가? 큰 실수를 하고 있구나." 그녀가 내 멱살을 잡은 추종자에게 나를 가리키며 말했다.

"누구신지 알 필요 없습니다."

"레슬리 공이 이곳에 오신 이유를 정녕 모르는가?"

엥?

내 멱살을 잡은 추종자가 당황하여 급하게 손을 떼고 내게 허리를 굽혀 사과를 하였다. 하나 그녀보다 당황한 사람은 다름 아닌 나였다. 내가 레슬리 남작이라니. 생전 처음 들어보는 이름에다가 나는 남작도 아니었다.

"너희들은 당장 저택으로 돌아가라. 경호 따위 필요 없다고 하지 않았소."

소피아를 포함한 추종자들이 부끄러운지 빠른 걸음으로 연회장 밖으로 나갔다. 나는 여전히 어안이 벙벙했다. 기억을 잃으니까 새로이 듣는 모든 말들이 의문투성이다.

"미안해요. 저 버릇없는 놈들을 꾸짖으려고 대충 꾸며서 둘러

댔어요. 따라오겠다는 것을 말렸어야 했는데."

추종자들이 사라지자 그녀가 내게 말했다. 그럼 그렇지. 레슬리 님꼭은 그녀가 지니낸 깃이있어.

그녀와 강렬한 만남의 순간은 내게 큰 인상을 주었다.

"로즈골드 에필리아라고 해요. 조향사로 일하고 있고, 아까 그 친구들은 그냥 제 제자들이랍니다. 인성교육을 배제했더니 저러네요."

"클로드입니다."

로즈 씨와 오랫동안 눈이 마주쳤다.

"얼굴이 너무 빨개요."

"예?"

나는 내 얼굴에 손을 살짝 갖다 대었다. 정말로 얼굴이 뜨거웠고 심장이 빨리 뛰었다. 아까 로즈 씨의 잔을 실수로 마셨을 때, 그 잔에 들어있던 진짜 와인을 들이켰다는 것이 생각났다.

"제 몸이 와인을 거부하네요. 아까 마셨나 봐요."

"안타깝네요. 몸이 술을 받아주지 못하다니."

로즈 씨가 살짝 웃었다. 그녀는 자신이 술 없인 못 사는 애주가라고 밝혔다.

"계급이 높으신 분이 아니셨군요."

"저도 당신과 같아요." 로즈 씨가 와인 잔을 깨끗하게 비웠다.

로즈 씨는 중단발의 백금발머리가 잘 어울렸다. 도도하고 상냥한 그녀의 이미지와 상반되면서도 어울리는 교묘한 느낌을 주었다.

그녀 또한 나름 코번트리 백작과 친분이 있기에 연회에 초대된 것이라고 말했다. 직위가 높은 그의 집무실 양키 캔들의 향을 직접 조향 했던 경력까지 소유하고 있었다.

나는 그렇게 젊은 나이에 제자들까지 거느리는 로즈 씨가 혼자 나와 다른 세계에 사는 사람 같았다. 지금까지 연회장에서 나와 로즈 씨를 지나치며 인사를 건넨 사람만 다섯 명이 넘으니까. 전부 로즈 씨에게 건넨 인사였고, 그것으로 그녀는 인맥이 매우 넓다는 것을 알 수 있었다.

나는 그 이후로 로즈 씨와 담소를 나눴다. 말동무가 많았을 그녀였지만 웬일인지 나와 대화하는 것을 꺼려하지 않는 듯했다.

"아직도 얼굴이 빨개요."

"독한 술이었나 봐요."

"이거 입가심용이에요."

"음."

저 멀리서 희고 덥수룩한 수염을 가진 남자, 코번트리 백작이 다가오는 것이 보였다. 그는 손에 와인 잔 두 개를 들고 우리 쪽으로 걸어오고 있었다.

"안녕들 하신가. 오랜만일세, 로즈." 그는 밝게 웃으며 그녀에게 인사를 건넸다.

로즈 씨도 그의 인사에 미소로 받아쳤다.

"음…, 자넨 누구인가?" 코번트리 백작이 내게 물었다.

내가 받은 초대장은 정말로 다니엘이라는 사람에게 왔다는 것을 알게 되었다.

"클로드라고 합니다."

"클로드 필립 군? 크게 이발을 한 모양이군. 못 알아봐서 미안하네." 그가 볼을 쓰다듬으며 말했다.

"예?"

"자네는 그 찰랑이던 긴 머리카락이 큰 특징이었는데, 확 달라진 이 모습이 익숙하지가 않군." 코번트리 백작이 반갑다는 말투로 흥얼기렸디. "이 긴을 들게. 최고급 와인일세."

코번트리 백작이 들고 온 와인 잔 중 하나를 건넸다. 청량한 보랏빛 액체가 작은 잔속에서 고요하게 출렁댔다. 내게는 그저 얼굴을 빨갛게 만드는 액체였지만.

"감사하지만, 술을 마시지 못하는 사람입니다."

"그랬던가? 아쉽게 됐군."

퍽!

"으억…!"

그 순간, 연회장에서 뛰어놀던 두 명의 어린아이가 나를 밀치는 바람에 와인 잔을 떨어뜨리고 말았다.

빠른 순발력으로 피해서 와인이 옷에 묻지는 않았지만, 와인 잔은 보기 좋게 박살 났고, 최고급 와인은 전부 바닥에 엎질러져버렸다(딱히 아깝진 않았다.). 로즈 씨는 경악하며 입을 다물지 못했다.

"이게 뭐람!" 코번트리 백작이 탄식했다.

"연회장에서도 어린아이들이 뛰어노나요?" 로즈 씨는 안절부절 못한 채 아이들을 진정시키려 쫓아다니는 어린아이들의 엄마에게 매섭게 따졌다.

"죄송합니다. 제가 좀 더 주의를 했어야 했는데…. 그건 제가 배상을…."

"예…?"

로즈 씨를 알게 된 지는 얼마 안 됐지만 보는 순간 첫인상으로 그 사람의 이미지가 굳어지는 것과는 다르게 그녀의 첫인상은 아직도 모르겠다. 순수함과 다혈질을 오가는 그 모습을 볼 때면 어디선가 본 것 같은 이중인격자가 떠올랐다.

"그거, 내 돈 주고 산 건데…." 옆에서는 코번트리 백작이 우물쭈물 대며 작게 중얼거리는 것이 들렸다.

규칙적으로 나열된 연회식탁 사이에서는 나를 치고 간 아이들을 따라다니며 같이 뛰어놀던 사모예드 한 마리가 나타나 바닥에 엎질러진 와인을 마구 핥았다.

"어? 어? 연회장에 웬 개야! 그거 먹으면 안 돼! 야!" 코번트리 백작이 어쩔 줄 몰라하며 개를 쫓아냈다.

와인을 맛본 개는 조금 취하는지 폴짝폴짝 뛰며 기분 좋게 짖어대다가 연회장 밖으로 뛰어 나갔다.

"세상에, 털 날리는 것 좀 봐."

"귀여워."

"끔찍해."

사람들은 저마다 깔깔대며 웅성거렸고, 궁의 시종들은 그 개를 쫓아 우르르 달려 나가거나 행주를 들고 달려와 바닥을 박박 문지르며 와인을 닦았다. 나도 그저 가만히 서서 하나의 유쾌한 이 상황을 즐겼다. 어쩌면 이런 일들이 딱딱한 일상을 주무르는 행복일지도 모른다.

나는 항상 밝게 웃으며 여러 사람들과 잘 어울리는 코번트리 백작과 로즈 씨가 존경스러웠다. 코번트리 백작의 웃음은 보는 나의 마음에 평안을 가져다주었으며, 로즈 씨의 미소는 왠지 모를 시원한 따뜻함이 물씬 풍겼다.

화장실에서 혼자 거울을 보며 웃는 것을 연습해 보았지만, 항상 보기에도 민망할 만큼 어색하고 인공적인 웃음만이 지어졌다. 그리고 그들처럼 잘 웃는 사람은 한 명 더 있었다.

클래식이 흘러나오는 연회장에서 혼자 식탁에 앉아 오이샌드위치를 한 입 베어 물었을 때였다. 오이샌드위치는 생전 처음 보는 음식이었다. 생긴 것이 특이했는데, 맛은 상당히 괜찮았다.

창밖에 있는 밤하늘을 보자 그레이스와 호세가 떠올랐다.

같이 보낸 즐거운 기억은 없었지만 그래도 함께한 시간은 있었다고, 그 고통스러운 시간이 다시 생각났다. 잠시 과거를 회상해 보았다. 떠올리며 감동에 잠길 추억도 없는데 이러고 있는 내가 참 웃겼다. 아니면, 그냥 단지 지금 같은 상황에서 회상하며 눈물을 흘릴 추억이 하나쯤은 있었으면 좋겠다고 생각한 것 일수도 있다.

눈을 조금 돌리자 어떤 사람과 눈이 마주쳤는데 그녀도 나와 같이 오이샌드위치를 먹고 있던 중이었다. 동양인 그녀는 나를 보자 갑자기 웃음을 터뜨렸고, 내 쪽으로 다가와 내 옆에 앉았다.

"하하, 우리 똑같아요."

"예?"

"연회장 식탁에 혼자 앉은 채 오이샌드위치를 먹는 사람." 그녀가 말했다.

"그렇군요." 내가 투박하게 답했다.

"저는 서리라고 해요." 서리 씨가 말했다.

"우리가 똑같아요? 서리 씨는 무엇을 하고 있었죠?"

"이것을, 음미했죠."

"과거를 음미하는 건 어떠하죠?"

"아, 그런 건 하지 말아요." 서리 씨가 불쾌하다는 표정을 지었다.

그녀의 신조는 조금 특이했다. 결과적으로 남는 것이 없으면 전부 부정적으로 받아들일 것 같았다.

"서리 씨는 추억이 없으신가요?"

그녀는 내 질문을 듣고 고개를 저었다.

"당신에게 아주 행복했던 시절이 있었다고 해봅시다. 좋은 친구, 화목한 가족, 따뜻한 연인, 완벽한 환경…. 그렇지만 전부 옛날이야기죠. 지금은 지나가버린."

"있다고 해봅시다."

"자, 눈을 감고 추억해 볼까요?"

그녀의 말을 따랐다. 물론 추억할 과거는 없었지만 어렸을 적친구들과 어울려 노는 상상을 했다.

"기분이 어때요?" 그녀가 물었다.

"좋아요. 조금은 그립고, 조금은 슬프네요."

"그때로 돌아가고 싶나요?" 그녀가 또 물었다.

"그런 것 같아요." 내가 답했다.

"돌아갈 수 있나요?" 서리 씨의 세 번째 질문은 이전보다 차가웠다.

"아뇨."

"회상을 그만둬봅시다. 당신에게 남는 게 있나요?"

"아뇨."

"더 이상 말 할게 없죠?" 서리 씨가 오이샌드위치를 내려놓았다.

"저는 추억이 없냐고요? 그건 아니지만 추억은 위선자잖아요. 따뜻함만을 전해줄 것 같이 다가와 쓰라린 아픔과 그리움을 전하고는 뒤도 돌아보지 않은 채 떠나니까요. 즐거웠던 추억이라는 이름표 뒤로는 날카로운 칼을 갈고 있으니 과거를 추억함으로써 얻는 것은 서글픈 그리움과 거대한 미련뿐이에요." 서리 씨가 말했다.

"추억으로 하여금 다시 행복해질 수는 없는 건가요?"

"사람들은 그것이 다시 돌아올 것이라 굳게 믿어요. 그들은 부풀려진 기대 속에서 웃고 있습니다, 완전 멍청하게."

그녀의 목소리는 점점 차가워져갔다.

"하염없이 기다리지만 오랜 시간이 지나고서야 돌아오지 않음을 깨닫죠. 그리고는 더 이상 그것의 의미를 땅 끝까지 추락시켜 버리거나 마음을 위로해 줄 것들을 찾아 헤맵니다. 술과 담배, 도박, 성관계에 국한되죠. 지금까지 제가 만난 사람들은 전부 그랬고요. 제가 잘 알아요."

"신조가 분명하시군요."

"행복하고 싶으시다면, 뒤를 보지 말고 앞으로 가는 게 어떤가요."

그녀도 '추억'의 의미를 밑바닥까지 추락시킨 사람인 것이 분명했다. 아마 크게 상처를 받았거나. 어쩌면 이렇게 마무리된 것이 그녀가 말한 후자의 상황보다 훨씬 나았으리라.

하지만 서리 씨는 그런 부정적인 이야기를 하는 내내 어울리지 않는 미소를 지었다. 어쩌면 서리 씨에게 추억이란 것이 부정적인 개념인 것은 당연한 걸지도 모른다.

"모든 것을 잊고 살아가는 것이 너무 괴롭다면, 딱 2년만 버티는 거예요. 달라진 환경에 적응하여 추억을 회상해도 많이 슬프지 않을 때가 되면, 그때 다시 기억을 조심스레 꺼내 마음껏 취해요. 슬픔에 잠겨 눈물 흘릴 일이 없죠."

"왜 하필 2년이죠?"

"무작정 때를 기다린다면 그건 너무 무지막지하잖아요. 2년이면 충분히 마음을 정리할 수 있어요. 하지만 저는 현실을 알고 현재와 미래를 사는 편이죠."

서리 씨는 동양인이지만 어렸을 때부터 영국에서 자랐다고 했다. 그래서 그녀에겐 어딘가 친근한 느낌 또한 공존했다. 서리 씨의 영국식 영어가 유창해서 그런 것 같다는 생각이 들었다.

"클로드라고 해요. 런던에서 살아요."

"멀지 않은 곳에서 사는군요."

서리 씨는 뒤이어 자신은 현재 스톤헨지에서 살고 있고, 이 연회장에 있는 유일무이한 외국인이라고 덧붙였다.

시간은 흘러 연회는 막바지를 향해 달려갔고, 나는 할 일 없어 보이는 코번트리 백작을 불러 그동안 못했던 이야기를 나누었다.

그와 함께 야외 발코니로 나왔더니 풀벌레소리가 우리를 반겼다. 적당히 어두운 밤하늘과 적당히 서늘한 바람도 딱 좋았다. 그리고 나는 이야기를 꺼냈다.

"백작님, 혹시 저희가 전에 어떤 사이였는지 물어봐도 될까요?"

"그게 무슨 말이오? 아주 각별한 사이였다는 말을 듣고 싶은 것인가?"

"아뇨, 사실 예전이 잘 기억나지 않습니다."

"하하, 그것 참 서운한 걸."

그의 반응은 내가 예상한 대로였다.

"음…."

어색한 정적이 흘렀다.

"어디서부터 시작해야 할지 모르겠네. …우리가 연락을 안 하고 지낸 지 오래되긴 했지, 약 5년 전부터 나는 자네 시계방의 단골손님이었소."

"5년 전이요?"

"지금도 내 집무실에 자네에게서 산 회중시계가 많이 보관되어 있네. 오랜 시간 동안 잘 썼소. 뭐, 그렇게 우리는 친해졌네. 한 때는 둘도 없는 친구였지."

코번트리 백작은 곧 주머니를 뒤적거리더니 손목시계를 꺼냈다.

"자네가 처음으로 만든 손목시계일세. 이것을 내가 가지고 있다는 것을 영광으로 생각해오고 있었네. 자네가 만든 시계인데 한 번 착용해 보게나. 안타깝게도 작동은 하지 않는다네."

그의 손에는 나의 첫 작품이라 하는 작은 손목시계가 들려있었다. 굳건히 멈춘 시곗바늘은 움직일 기미가 보이지 않았다.

가죽으로 만들어진 시곗줄은 군데군데 벗겨져서 낡은 티를 냈고, 빛나는 금속으로 만든 다이얼은 방금 닦았는지 반질반질 윤이 흘렀다. 그래도 작은 유리에는 약간의 흠집이 난 자국이 보였다.

그는 아직도 반짝이는 시계의 앞면을 계속 보여주었다.

하지만 코번트리 백작이 그 시계를 내 손목에 갖다 대려고 했을 때, 어디선가 다급하게 달려온 시종 한 명이 소리쳐 그를 불렀다. 그녀의 목소리가 얼마나 컸던지 나는 깜짝 놀라 뒤로 한 발짝 물러섰다.

우리 둘의 이목이 그 시종에게 집중됐다.

"백작님! 정원에 사람이 죽어있습니다!"

코번트리 백작은 손에 든 시계를 냅다 버리고 시종과 함께 다급하게 정원으로 뛰어갔는데, 그는 그 과정에서 시계의 어딘가 날카로운 부분에 왼쪽 손등이 긁혔는지 작은 소리를 내며 그 부분을 감쌌다.

나는 그들을 뒤쫓았다.

정원에는 시종 한 명이 처참하게 죽어있었고 다른 시종 대여섯 명이 그 주위에서 웅성거리고 있었다.

"무슨 일이오? 살인인가?"

"시체에 상처나 물리적인 흔적은 전혀 없어 보입니다. 지금까지는 독살로 보고 있지만 잘 모르겠습니다. 나머지 시종들이 또 다른 시체는 없는지 정원 전부를 순찰하고 있습니다."

"일단 병원으로 보내고 사망원인 조사해 보게."

내 눈에는 시체 근처에 떨어진 흥건하게 젖어있는 행주가 들어왔지만 코번트리 백작은 이 한마디를 끝으로 나를 잡고 연회장 안으로 다시 뛰어 들어왔다.

사람이 죽었는데 태연하게 등을 돌리는 것 같은 모습이 그가 지금까지 비쳐왔던 친절한 모습과 대비되며 다른 사람 같다는 느낌이 들게 하였다.

그의 손에 이끌려 연회장으로 들어가면서 나는 시체를 옮기는 시종들의 모습에서 눈을 뗄 수 없었다.

"방금 일은 부디 잊어주시게. 내가 알아서 처리할 테니 조용히 연회를 즐기고 가주시게. 괜히 입소문을 타서 연회 분위기가 망쳐지는 게 싫네."

코번트리 백작은 나를 연회상에 두고 다시 밖으로 뛰쳐나갔다. 방금 일을 처리하기 위해 뛰쳐나간 것이 틀림없다.

내 뒤에서는 로즈 씨가 아무것도 모른 채 나를 연회장 한가운데로 데려갔다.

나는 그녀에게 사람이 죽었다고 차마 말을 할 수 없었고, 사건의 뒤처리는 코번트리 백작과 시종들에게 맡기기로 했다. 내 역할은 그의 말대로 이 사실이 다른 손님들에게 전해지지 않는 것이었다. 시종 한 명이 죽었다는 것을 본 손님은 나뿐이니까.

연회장 가운데에 있는 식탁에는 서리 씨가 앉은 채로 와인을 홀짝거리며 나를 기다리고 있었고, 그 옆에는 처음 보는 남자가 기타를 연주하며 흥얼거리고 있었다.

"누구예요?"

"그냥 좀 자유분방한…"

서리 씨가 내게 답했다. 나는 곧 이 와중에도 그가 열심히 부르고 있는 노래에 귀를 기울였다.

"싱어송라이터래요. 아니면 예술가."

"예상은 했어요."

결국 심야는 오는 법인 걸까요
아프지만 도망칠 수가 없습니다
마지막까지 아름다웠던 그 얼굴을
아직도 잊을 수가 없습니다
불기둥 아래에서 마주한 태양조차
밤이 되어 사라지고 없습니다
앞으로는 보이지도 않는 이곳에
남은 것은 제 몸 하나 빼고 없습니다

서리 씨와 로즈 씨가 그의 노래에 마구 박수를 쳐댔고, 나도 눈치를 보며 박수를 쳤다. 하나도 이해가 가지 않는 가사는 잘 모르겠어도 음률 하나만큼은 상당히 매력적이었다고 말할 수 있었다.

"느끼하네요."

"오글거리는 사랑과 이별했나 봐요."

로즈 씨가 내게만 들릴 정도로 속삭였다. 그리고 서리 씨와 키득거렸다.

자신의 이름을 빈트라고 소개한 그 싱어송라이터는 긍정적인 모습을 보였으며, 밝게 웃는 모습이 코번트리 백작을 닮았다. 빈트 씨는 서둘러 주변을 둘러보고는 다른 곡을 또 부르려다가 시종들에 의해 쫓겨났다.

"사실 이 연회에 초대되지도 않았대요. 아까 그러더라고요."

곧 서리 씨와 로즈 씨가 한 손으로 입을 가리고 웃었는데, 그 모습이 똑 닮았다고 생각했다. 둘도 나와 마찬가지로 그의 노래를 억지로 듣다가 드디어 끝났다는 작은 해방감을 느낀 듯했다.

우리 셋은 식탁에 자세를 고쳐 앉았다. 눈앞에는 음식들이 가득했지만 이미 너무 많이 먹은 탓에 더 이상 먹고 싶지는 않았다.

로즈 씨와 서리 씨는 그새 친해진 건지, 이미 알고 지낸 사이였는지 어색하지 않은 분위기를 잘 띄워냈다.

사람들과 옹기종기 모여 있으니 알 수 없는 유대감이 형성된 것 같았다.

사실상 처음 느껴보는 감정이었다. 아무런 대가나 목표가 없는 순수한 친밀감이라고나 할까.

"클로드 씨는 여기에 어떻게 오셨어요?"

서리 씨가 내게 물었다.

"몰라요."

…말 한마디에 순식간에 분위기가 싸해졌지만 정말로 몰랐기에 더 이상 덧붙일 말은 "진짜 몰라요." 혹은 "정말요" 밖에 없었다. 어쩌겠는가.

나는 무안한 마음에 화장실을 다녀오겠다는 핑계를 대고 밖으로 나왔다. 한 순간의 말실수가 자꾸 마음에 걸렸다. 하지만 더욱이 내 마음에 걸리는 것은 따로 있었다.

조용히 정원으로 나와 시종의 시체가 있던 곳으로 발걸음을 옮겼다. 그의 시체는 이미 사람들이 옮겨놓아 보이지 않았지만, 주변에 있던 젖은 행주는 아직 남아있었다.

나는 그것을 들어 올려서 공중에서 짜보았다. 행주는 분명하게 젖어있었는데, 몇 차례에 걸쳐 힘을 주어 짜니 그때야 액체가 쪼르르 흘렀다.

밤이라 잘 보이지는 않았지만 보라색, 혹은 어두운 파란색 물기가 쭉 빠져나왔는데, 내가 연회에서 본 푸른 액체는 와인과 아이들을 위해 준비되었던 포도주스뿐이었다.

여유가 없는 내 일상은 또 정신없이 흘러갔고, 그 후에 사건은 또 벌어졌다.

넓은 연회장 내부로 다시 걸어 들어가니 중앙 쪽에는 서리 씨와 로즈 씨가 모여 있었다. 나는 그들의 대화에 낄 생각으로 다가갔는데….

탕! 탕! 탕!

순간에 울려 퍼진 거대한 총소리에 심한 이명과 함께 귀가 잠시 멎는 느낌을 받았다. 놀란 사람들은 식탁 밑으로 숨거나 황급히 연회장을 빠져나왔다. 클래식과 사람들의 웃음소리로 가득했던 연회장 내부는 세 번의 총소리로 인해 비명과 황급한 발소리만이 들리는 아수라장이 되어버렸다.

이런 곳에서마저 비극이 또 일어나는 것에 참을 수가 없었다.

총소리가 한번 날 때마다 커다란 샹들리에는 바닥으로 떨어져 산산조각 났고, 그렇게 세 개의 샹들리에가 박살 나자 잠시 잠잠해진 듯싶었다.

누군가 총으로 샹들리에를 쏜 것이었다. 연회장은 순식간에 어두워졌고, 워낙 넓고 높았던지라 그 어두워진 연회장은 순식간에 난리가 났다. 꺼진 샹들리에와 흩날리는 먼지들로 인해 시야 또한 가려졌다.

나는 대피하기보단 인파 속에서 놓친 로즈 씨와 서리 씨를 찾아 헤맸다.

탕! 탕!

이윽고, 두 발의 총소리가 추가로 들렸고, 난장판이 된 상황 속에서 로즈 씨의 다급한 외침이 들렸다. 듣기에 한 발은 벽에 박혀 날카롭고 둔탁한 소리가 났으나, 그다음 발은 사람이 맞는 소리였다.

"서리 씨!"

겨우 찾은 로즈 씨는 어느 한 곳을 바라보고 있었고, 그 시선의 끝에는 총에 맞고 쓰러진 서리 씨가 보였다. 머릿속이 새하얘졌다.

최대한 빠르게 달려가 로즈 씨를 데리고 식탁 밑으로 들어가 몸을 숨겼다. 그것이 내가 할 수 있는 최선이었다.

식탁은 넓었지만 밖에는 총을 맞고 쓰러진 서리 씨가 남겨져있었고, 로즈 씨의 초점 없는 눈에는 생기까지 없었다. 나는 그저 허탈한 표정으로 상황이 나아지기를 기다릴 뿐이었다. 모든 일은 첫 번째 발포소리가 들린 뒤로 30초 안에 일어났다.

더 이상 총소리는 들리지 않았고, 기회를 노려 로즈 씨를 데리고 연회장을 빠져나갈 생각이었다.

코번트리 백작이 뒤늦게 연회장 가운데로 뛰어 들어와 식탁 밑에서 겁에 질린 채 벌벌 떨고 있는 사람들에게 얼른 연회장을 나가라고 외쳤다.

"테러가 일어난 것 같소! 연회는 끝났으니 빨리 대피하시게! 저격수가 아직도 있을 것이오…!"

서리 씨를 두고 로즈 씨와 연회장을 나오자 밖에는 경찰들이 몰려와 세인트 케이든 궁을 포위했고, 시종들은 후에 연회장에 남은 시민들을 데리고 빠져나오는 코번트리 백작을 엄호했다.

코번트리 백작이 사람들을 데리고 빠져나오면서 경찰에게 자초지종을 늘어놓았고, 나는 놀란 가슴을 붙잡고 옆에서 그의 이야기를 들었다. 거친 호흡이 가다듬어지지 않았다.

"누가 연회장에서 총을 난사했소. 어디서 쐈는지는 모르지만 네다섯 발쯤 쏜 것 같소! 사람 한 명이 맞은 것 같고, 나머지 인명피해는 없을 것이오."

테러의 전말을 수사하고 범인을 검거하기 위한 수색대가 연회장으로 진입했고, 나는 그들을 지나쳐 정원에 있는 로즈 씨와 함께 다리에 힘이 풀리듯이 벤치에 주저앉았다.

로즈 씨는 많이 놀랐는지 숨을 헐떡이며 손을 벌벌 떨고 있었고 충격으로 떨어뜨린 고개를 차마 들지 못했다.

그레이스가 눈앞에서 죽는 광경을 수십 번이고 경험한 나는 그녀의 마음이 충분히 이해가 되었다. 그리고 서리 씨의 죽음으로 슬픈 것은 나도 마찬가지였다.

우리는 벤치에 앉아 각자 말없이 서리 씨를 추모했다. 짧게나마 스쳐간 친구였다는 생각에 더욱 속상했다.

벌써 이 연회에서는 두 명의 사람이 죽었고, 오늘 일은 내게는 큰 정신적 충격을 주었다.

어두컴컴해진 연회장과 그곳을 둘러싼 수많은 경찰들과 사이렌 소리, 그리고 주변에서 웅성대는 사람들 때문에 너무나 시끄러웠겠지만, 우리 사이에서 흐르는 분위기만큼은 어색할 정도로 조용했다. 모든 소리가 흐릿하고 작게 들렸다.

소란스러운 침묵 속에서 나는 혼자 조용히 일어나 집으로 향해 걸어갔고, 로즈 씨는 여전히 그곳에 앉아 고개를 푹 숙인 채로 마음을 다잡고 있었다.

오늘일은 정말로 쉽게 뇌리에서 잊히지 않을 것 같았다.

코번트리 백작의 생일파티는 내게 행복한 추억으로 남을 줄 알았고, 모든 것은 아름다울 줄 알았다.

*

1887년 10월 3일. 조금 열린 창문으로 들어오는 서늘한 바람을 맞으며 작업실에 조용히 앉아 내 마음을 가라앉혔다.

끔찍했던 연회가 있었던 날로부터 이틀이나 지난 현재까지도 미련은 마음 한구석에 박혀서 나를 건드렸다.

환청 또한 들리기 시작했는데, 로즈 씨의 비명, 다섯 발의 총소리 등을 포함해 연회장에서 있었던 모든 끔찍한 소리가 전부 들리는 것 같았다.

외부의 간섭 없이 오랫동안 혼자 보내는 시간이 많아지다 보니 나 또한 이상한 사람으로 변질되어 가는 것을 느꼈다. 내 상태는 점점 악화되고 있었다.

'기억의 날'부터 지금까지 내 눈앞에서만 약 네다섯 명이 죽었다. 이 도시에서는 약물범죄와 암거래 등이 판을 치고 있지만 무능한 정부는 정말 모르는 것인지, 아니면 그저 다른 곳에 한눈을 팔며 방치하는 것인지 모르게 아무 대응을 하지 않고 있었다. 고작해봐야 자정 이후 통행금지 정도. 그것마저 아직도 장점을 잘 모르겠지만 말이다. 대체 왜 사람들이 이렇게 죽어나가는데 영국 정부는 치안을 강화하는 등 아무런 조치를 내리지 않는 것일까?

이러다가 정말 끔찍한 대형 사고가 터져야 수습을 할 것 같았다.

밖에서 들어오는 약한 바람이 점점 거세져갔다. 나는 열어놓은 창문을 닫기 위해 창가로 다가갔고, 창틀에 손을 갖다 대자마자 그 너머로 익숙한 무언가를 보게 되었다.

중단발로 자른 백금발머리가 아름다운 그녀, 로즈 씨였다. 로즈 씨가 왜 여기에 있는지는 알 수 없지만 그녀가 이 근처에 살고 있는 것이라면 다시금 그녀와 알고 지낼 수 있다는 생각이 앞섰다.

"어?"

로즈 씨가 내 소리를 들었는지 고개를 올려 나를 바라보았다.

로즈 씨도 나를 보고 놀란 눈치였다.

"여기 사세요?"

"네."

"잘됐네요. 혹시 시간 좀 낼 수 있어요?"

나는 곧 같이 술집에 가자는 그녀의 부름에 집밖으로 나갔다. 어쩌면 이것은 기댈 곳 없는 나에게 너무나 행운이었다.

로즈 씨는 건너편으로 5분 정도 걸으면 있는 술집으로 나를 데려갔다. 걸어오면서 느낀 건, 로즈 씨가 서리 씨 일을 잊고 다시 활력을 되찾은 것 같아 다행이라는 생각뿐이었다. 우린 화려한 간판이 특징인 술집 '아도니스'로 들어갔다. 깊숙이 들어가 바텐더를 바로 마주 보는 바에 앉아서 이야기를 나눴다. 아직 밝은 오후라 이곳에는 사람들이 많이 없었지만, 테이블 위에는 와인 잔이, 옆에는 로즈 씨가 있었으니 이 모든 것이 그날의 연회를 떠오르게 하기도 했다.

로즈 씨는 자신도 원래 이 근처에서 살고 있고, 방금은 머리를 식힐 겸 거리를 돌아다니고 있던 중이라고 했다.

"'얼음새꽃'입니다. 동양에서는 '영원한 행복'이라는 꽃말로 알려져 있는데 그것에 걸맞게 꽃도 너무 예쁘지요?"

멋지게 턱시도를 차려입은 바텐더가 주문받은 와인을 제조하다 말고 식탁 위에 있는 작은 화분을 가리키며 말했고, 그 화분에는 작은 노란 꽃 두 송이가 곱게 피어있었다.

"행복한 순간이 영원했으면 좋겠어. 집에 가면 하나 키울까 봐."

나는 묵묵히 로즈 씨가 덧붙인 말을 듣기만 했다.

우리는 서로에게 말을 편하게 하기로 했는데 덕분에 로즈 씨가 더욱 친구처럼 보였다.

"술을 잘 못 드시나 보죠?" 바텐더였다.

그는 술을 완성하고 팔을 뻗어 로즈 씨에게 건네주더니 아예 우리 앞에 자세를 잡고 앉았다. 그가 앉은 가죽스툴 위에서 삐걱거리는 소리가 났다.

"예?"

"술집에 와서 주문하지 않고 앉아만 계시는 분들은 대체로 그렇지요. 당신처럼 말이죠."

로즈 씨는 옆에서 방금 받은 와인을 쭉 들이켰다.

"보아하니 법적으로 금지하는 음주연령 미만은 아닌 것 같다만, 한 번도 드셔보시지 않으신 겁니까?"

"…예, 뭐."

"특유의 떫은맛이 별미인 레드 와인이 입문하기에 적합하니 드셔보시겠습니까?"

바텐더는 수상하리만치 내게 와인을 권유했다. 난 그저 이게 이 바텐더의 영업방식이라고 생각했다.

"아니요."

그 뒤로도 간단하게 시원한 얼음물을 홀짝거릴 뿐이었다. 원래 아도니스에선 얼음과 물은 따로 판매하는 것이 아닌 음료를 제조할 때 넣는 재료들인데, 바텐더가 이거라도 마시라며 컵에 얼음과 물을 담아준 것이다.

"…이런 얘기하면 싫어하려나?"

바텐더가 다른 손님의 주문을 받으러 가고 고요한 정적이 흐르자, 로즈 씨가 내게 또 다른 이야기를 꺼내려다가 머뭇거렸다. 아마 이야기 주제를 잘못 꺼냈다는 걸 뒤늦게 깨달은 것 같았다.

"무슨 얘기?"

"며칠 전 있었던 연회 이야기이긴 한데…."

"말해 봐."

나는 마음을 다잡고 그녀의 이야기를 들을 준비를 했다. 그저 로즈 씨가 연회에서 있었던 좋은 일을 말해주기만을 바랐다.

"그때 시종 한 명이 죽었다잖아…. 정원에서."

아아, 로즈 씨는 그 사실을 어디서 들었는지 그 이야기를 꺼내고 말았다.

"누가 그래?"

"사람들이. 연회가 끝나고 경찰들이 몰려왔을 때 사람들이 수군대더라고."

"그들은 또 어떻게 알았을까."

"나야 모르지. 그런데 근처에 대형견 한 마리도 같이 죽어있었대."

"응?"

나는 내 귀를 의심할 수밖에 없었다. 연회장에서 본 개라면 바닥에 흘린 와인을 핥고 도망간 사모예드 한 마리뿐이었다.

"그 개?"

"'그 개'라니?"

"…사모예드?"

"아, 어떤 개인지 알아."

로즈 씨가 와인을 홀짝거리다가 흥미롭다는 듯 자세를 고쳐 앉았다. 와인 산을 테이블에 올려둔 채 다리를 모으고 몸을 내 쪽으로 기울인 모습이었다.

"개가 와인 좀 핥는다고 죽나?"

"몰라. 그런데 내가 봐도 그 개가 와인을 그렇게 많이 핥지는 않았는데 죽은 게 이상하단 거지. 사람들 말로는 독살일 수도 있다고 해서…. 아니면 그냥 와인이 독한 건가?"

"독살?"

"음, 그냥 떠도는 소문에 의하면 부검해서 원인 밝혀보니 둘 다 독살이라고…."

"어디까지나 소문이겠지."

말은 이렇게 뱉었지만 근거가 충분한 의심이 들었다. 죽은 시종 근처에 떨어져 있던 젖은 행주. 그것을 짰을 때 나온 보랏빛 액체는 와인이었을 것이다. 와인에는 독이 들어있었을 확률이 컸다.

"와인에 누가 약을 탔을 수도."

"그럼 시종은 왜 죽은 걸까. 그가 와인을 마신 적이 없을 텐데."

로즈 씨의 말을 듣고 와인에 독이 들어있었다던 내 추리를 잠시 접어두려고 했으나 행주에 액체가 많이 남아있지 않았다는 사실이 떠올랐다. 설마 그걸 짜서 먹었겠어?

"와인을 좋아했나 봐."

"와인을 좋아해서 훔쳐 먹었다는 건가?"

"아뇨 누가 준 것일지도."

"말도 안 돼. 그날 연회에서 같은 와인을 마신 사람이 얼마나 많은데. 누가 그 잔에만 독을 탄 게…."

"웨이터?"

로즈 씨가 뜬금없다는 표정을 지었다.

"갑자기? 웨이터라니?"

"웨이터 아니면 와인 메이커가 특별한 잔에만 약을 탔겠지. 죽이러고….”

“코번트리 백작을? 와인으로 독살?”

“응. 아마도.”

로즈 씨는 몇 초 동안 말이 없었다. 그러니까 또 괜히 의식의 흐름대로 말을 꺼낸 것 같다는 생각이 들었다.

“…운이 좋았어. 마시지 않은 것이 천만다행이야. 잔이 두 잔이었잖아.”

로즈 씨가 안도의 한숨을 내쉬었다. 정말 코번트리 백작이 건넨 와인에 누가 약을 탔었더라면 그날 연회에서 정말 죽었을 수도 있었다는 생각이 들었다. 운이 좋았다.

그 뒤로 우린 조금 뒤에 가볍게 인사를 나누고 각자 집으로 향했다.

물론 집에 가는 과정에서 길을 잃어 오랫동안 헤매긴 했지만.

*

그다음 날은 의외의 사람들을 만났다.

워드트론가와 리엘록가가 근접하는 삼거리에서 내게 지도를 든 채 길을 물었던 그들과 눈이 마주친 순간 내가 본 그들의 표정이 아직도 잊히지 않았다.

몇 분 전, 그들은 내게 길을 물어보다 나를 보더니 놀란 기색을 숨기지 못하고 반가워하며 발을 동동 굴렀다. 물론 나로선 그들을 알지 못했다.

“다니엘! 안 죽었구나?” 세 명 중 한 명이 외쳤다.

“뭐?”

갑작스러운 친한 척에 당황한 건 오히려 나였다. 기억을 잃었지만 이렇게 반가워하는 것을 보니 그렇게 일단 그들을 집으로 들여온 것이다.

생판 모르는 사람들에게 대접하는 차는 주변의 공기까지 어색하게 만들었다. 고양이는 처음 보는 그들을 보자마자 개처럼 달려가 그들에게 반가움을 숨기지 못했다.

"네가 갑자기 사라진 이후로 아직도 가끔은 일상의 빈자리가 느껴지는 거 있지. 에녹이 너를 발견하지 못했다면 우린 여전히 네가 죽었다고 생각했을 거야." 세 명 중 키가 큰 흑인 여자가 고양이를 쓰다듬으며 말했다.

"나를 발견해?"

"다신 못 볼 줄 알았는데 말이야. 돌아가서 다니엘 복귀 파티를 열어야겠어. 복귀 파티보단 생존 파티라고 해야 맞으려나?"

지나치게 활발한 그들의 성격은 만난 지 10분도 되지 않아 나를 지치게 만들었다. 재미없는 이야기에 벌써 열 번은 웃는 그들이 이해하기 힘들었다.

"제발 앞뒤 설명부터 해줘. 에녹은 누구고 다니엘은 누군데?"

"뭐?"

"뭐?"

"…"

또 이런다. 기억하지 못하는 것을 물었더니 분위기가 순식간에 차가워졌다. 서운함과 이질감을 동시에 느끼는 듯한 그들에게 모든 것을 설명하고 나서야 어느 정도 받아들이는 것 같았다.

사실 나도 가끔은 현실을 받아들이는 게 힘들다. 기억을 전부 잃고 살아간다는 건 지금까지 쌓아온 모든 기억들과 정보들을 초

기화한 채 지금 나이의 몸뚱이로 다시 태어나는 것과 다를 게 없으니까.

이렇게 과거부터 알고 지내던 사람들을 기억하지 못하면 그 자체만으로 보이지 않는 벽이 인간관계를 가로막는 것 같다.

한참이 지난 뒤에야, 하나가 입을 열었다.

"…난 브로디야. 익숙해지다 보면 조금씩 기억할지는 모르겠지만, 우리 넷은 동네에서도 유명한 반당이었어. 네가 나를 잊을 거라곤 상상도 못 해봤는데." 브로디가 작은 목소리로 말했다. "여긴 에녹, 여긴 에버린."

브로디는 흔하지 않은 내 이야기를 듣고 내가 이해할 수 있게끔 설명해 줬지만, 아까와 같은 들뜬 분위기는 다시 살아날 기미가 보이지 않았다. 그의 표정도 아까보다 어두워진 게 확실했다.

"여긴 무슨 일이야?"

"널 봤거든. 신문으로." 에녹이 답했다.

"내가 신문에 실렸어?"

"한 면에 첨부된 사진에 네 얼굴이 있었어. 아주 작았지만 봤다고."

에녹은 꼬깃꼬깃 가져온 신문을 내게 보여주었다. 글에서 풍기는 느낌이 어딘가 모르게 익숙한 게 세인트 케이든 연회와 그 테러를 다룬 내용이었다. 다급하게 인터뷰하는 코번트리 백작을 찍은 사진이 있었는데, 에녹은 그 뒤에 아주 작게 찍힌 나를 손가락으로 가리켰다.

로즈 씨와 급히 연회장에서 빠져나와 코빈트리 백작을 지나쳐 가는 순간에 그와 같이 찍힌 듯 보였다. 그리고 내가 아니라고 부정할 수 없을 만큼 또렷이 나오긴 했다.

"너 말이야 3년 전에 솔즈베리에서 바람처럼 사라졌었잖아. 얘가 이걸 발견하고 우리에게 가져왔어." 에버린이 덧붙였다. "정신 나갔지."

"솔즈베리라고?"

"맞아. 우리가 함께 자랐던 곳. 난 네가 죽은 줄 알았는데 여기 살고 있었네. 도망쳐 나온 건 아닌지 살짝 의심했는데 그건 아닌 거 같고." 브로디가 말했다. "너, 그때도 우리 중에서 키가 제일 작았는데, 여전하구나."

셋은 지들끼리 키득댔다.

"에버린 키는 뛰어넘을 줄 알았는데."

"내가 여자치곤 큰 편이지. 어제 재봤는데 6피트를 넘었더라고."

"쓸데없는 말 말고, 다니엘이 누군지 말해줘"라고 했을 땐, 브로디가 굳어진 표정으로 나를 작업실로 데려갔다.

"둘이 얘기 좀 해." 그가 말했다.

마지막으로 그가 작업실로 들어와 문을 닫자, 잠시 침묵이 흘렀다.

"그렇게 심각하니?"

"네 이름이 뭔데?"

"갑자기? 클로드 필립. 사람들은 전부 다 그렇게 기억하고 있어. 그레이스 아나리스의 동생이라고 했으니 전체이름은 '클로드 필립 아나리스'인가?"

"대체 여기서 어떤 삶을 살아온 거니?" 브로디가 심각한 표정으로 내 작업실 책상을 살폈다. 그리고는 어느 책을 꺼내 들었다.

"<시계 제조의 모든 것>, 멋진 책이군."

"그게 왜?"

"…'다니엘 아나리스'."

브로디가 지적한 부분은 바로 책에 쓰인 이름. 좀 오래되고 낡아 보이는 책들엔 전부 다니엘이라는 이름이 쓰여 있었다.

"다니엘…, 아아…."

"이 사람도 성으로 아나리스를 쓰네. 너 동생도 있냐?" 브로디는 잠시 아무 말이 없더니 시계를 수리할 때 쓰는 작은 거울을 집어 들어 내게 건넸다. "너 말이야, 다니엘이 누군지 알고 싶지?"

내가 그가 건넨 거울을 받자 브로디는 자리에서 일어났다.

"스스로가 누군지 알았으면 해. 그가 여기에 있어. 거울을 들여다보면 찾을 수 있을 거야."

브로디가 나가고 혼자 남겨진 작업실엔 적적함이 많은 생각으로 복잡해진 머리를 감쌌다. 어디서부터 잘못된 건지 모르겠다. 내가 사람들에게 불리는 이름이 왜 두 개인지, 어느 것이 옳은 것인지 알 수 있는 게 없었다.

거실로 나가자 그들은 여전히 거기 있었다. 대접했던 찻잔은 깨끗하게 비워져 있었고, 익숙한 듯 동그랗게 앉아 고양이와 놀고 있었다.

"이제 17살인가? 이제 너도 늙었구나." 에버린이 말했다.

늙은 고양이는 그들에게 이미 마음을 연 듯 보였다. 아니, 아직도 그들을 기억하고 있다고 하는 편이 낫겠다.

"네가 솔즈베리로 돌아왔으면 좋겠어." 에녹이 내게 말했다. "모두 널 기다리고 있어."

에녹은 종이에 주소를 갈겨 적더니 내게 건넸다.

"나중에. 지금은 돈이 없어." 기억을 잃었다지만 지금 내게 더 익숙한 이곳과 로즈 씨를 두고 곧바로 건너갈 수는 없는 노릇이었다. 하지만 갈 수만 있다면 다시 돌아가고 싶었다.

"응. 루시는 꼭 데려 와." 에녹이 덧붙였다.

"루시?"

"고양이."

"응, 그때까지 살아있으면."

에녹은 검은 피부에 상당히 큰 키와 큰 덩치를 가진 사람이었다. 금방이라도 힘자랑을 할 것 같아 보이는 그는 그 첫인상에 어울리지 않게 집에 오자마자 고양이 루시에게서 눈을 못 떼고 있었다. 게다가 내 책장에서 책까지 꺼내어 보는 감성적인 면도 갖고 있는 듯했다.

"아직도 피에르 씨의 소설을 읽는구나." 에녹이 말했다. "기억은 잃어도 열정은 어디 안 간다는 건가. 책은 아직도 전부 갖고 있네."

"열정?" 내가 되물었다.

"너 솔즈베리에선 피에르 씨 소설의 열성팬이었어. 네가 사라졌을 때 피에르 씨를 찾아 런던으로 갔다는 소문도 돌았을 정도니."

"모르겠네. 그 책도 기억 잃고 눈떠보니 있더라."

그의 말은 의외로 새롭게 다가왔다. 내가 열렬히 누군가의 작품을 사랑했던 사람이었다는 건 지금의 나로선 상상도 하지 못할 일이었으니까. 현실을 살기에도 바쁜데 누군가에게 관심을 쏟는 것은 쓸데없는 일이니까.

*

1887년 10월 6일.

아침부터 로즈 씨와 만났다. 사실 그녀가 의도를 가지고 찾아온 것인지, 아니면 그냥 지나가는데 내가 부른 것인지는 알 수 없지만 내가 지나가는 로즈 씨를 불러서 먼저 극장에 가자고 한 것은 사실이었다. 물론 그녀 또한 제안에 응했다.

시끄러운 소리를 내며 달리는 전철에 올라탔다. 코번트 가든으로 향하는 전철은 오늘따라 심하게 덜컹거렸고, 덕분에 몸을 지탱하는 발과 다리가 심하게 저려왔다.

런던의 도심은 내가 사는 동네와 다르게 많은 사람들로 북적였고, 살인사건 수사종료로 인해 봉쇄가 풀린 킹스크로스역으로 향하는 사람들도 많이 보였다. 사람들이 열심히 사는 소리가 내게는 친근함과 놀라움으로 다가왔다.

"이런 풍경이 생소한가 봐." 로즈 씨가 살짝 웃으며 말했다.

"응?"

"밖을 바라보며 입을 다물지 못해서."

"로즈 씨는 이런 게 익숙해?"

"로즈라고 불러. 로즈 씨는 너무 존칭이야."

"이게 편해."

마음대로 하라는 표정으로 고개를 저은 로즈 씨는 옅은 한숨을 내쉬었다. 곧 그녀는 밖에서 들리는 개 짖는 소리에 깜짝 놀랐는데 허리를 꼿꼿하게 편 모습은 꼭 고양이 같았다.

"나야 익숙하지." 로즈 씨가 민망한 얼굴을 붉히며 말했다.

"아닌 것 같아."

"매일같이 이렇게 시끄러운 데서 일하는데. 개 짖는 소리에 한

두 번 놀라겠니. 그러고 보니 너도 고객을 마주 보며 일하지 않아? 힘든 손님들도 많겠다. 보통 장사하는 사람들이 다 그렇지."

"아니, 그런 사람 별로 없어."

로즈 씨는 놀랍다는 표정을 지었다. 그리고 이내 오래되어 변색된 창틀에 턱을 괴고 다시 밖을 바라보았다.

"어린 시절은 어떻게 지냈어?"

예상치 못한 질문이었다. 당연히 그 질문에 대해 내가 줄 수 있는 답은 "나도 몰라"밖에 없었다.

"나도 몰라."

"응?"

"미안해. 정말 몰라."

예전부터 그랬던 것이지만 누군가에 질문에 그냥 모른다고 일관하면 후에 상대방이 상처받을까 다시 생각해야 하는 것은 덤이었다. 하지만 그렇다고 꾸며낼 수는 없으니 어쩌겠는가. 그럴 때마다 나는 미안하다는 말과 함께 정말 몰랐다는 것을 나타내야 했다.

"그냥 기억이 통째로 사라졌어. 20년보다 긴 과거가. 왜인지는 몰라."

"사고가 있었니? 아, 모르려나?"

"짐작 가는 게 없어. 누구는 3년 전에 내가 실종되었다고 했는데 그 뒤로는 또 몰라."

다니엘. 내 이름에 대해 브로디에게 들은 것을 로즈 씨에게 털어놓자 그녀는 눈을 크고 동그랗게 뜬 채 좋은 반응을 보였다.

약 20분 뒤에 우리는 코번트 가든의 어느 극장 앞에서 내렸다. 사람들이 많이 없을 아침시간을 겨냥했지만, 웬일인지 사람들이 많았던 터라 보려고 했던 오페라 <베르디의 휴일>을 포기하고 오후에 시작하는 <야래향>을 보기로 했다.

"뭐라도 좀 먹을까?"

오페라가 시작하기 전까지, 우리는 이곳에서 시간을 때워야 했다. 로즈 씨도 그걸 알고 있었는지 근처 카페에서 맛있는 걸 먹자고 제안하였다. 그렇게 어느 카페 야외 테이블에 자리를 잡고 앉아서 주문한 스크램블 에그를 먹으며 햇볕을 쬐는 런던의 짧은 휴가가 시작되었다.

로즈 씨는 <베르디의 휴일>을 놓쳤다는 사실에 짜증이 난 것 같으면서도 이 시간을 즐기자며 커피를 연신 들이켰다.

"가족들은 무슨 일 해?"

로즈 씨가 나의 가족에 대해 질문했다. 물론 대답할 수 있는 건 없었다.

"가족은 누나 한 명 있었는데 얼마 전에 죽었어."

사실이었고, 굳이 돌려 말할 생각은 없었다. 때문에 로즈 씨는 큰 충격을 받은 눈치였다.

"미안해. 괜히 물어봤네."

"나한테는 들을 얘기가 없으니까 로즈 씨 이야기를 해줘."

스크램블 에그를 입에 물고 머뭇거리다가 조금 뒤에 입을 열었다.

"나도 가족 없어."

"정말?"

"내가 성인이 되기 전에 이미 부모님도 두 분 다 돌아가셨어."

의외였다. 항상 활기찬 모습을 보였기에 그런 상처는 없을 줄 알았다.

"원래 술은 입에 대지도 않았는데 홀로 남겨지고 어느새 애주가가 되어있더라고."

"그렇구나."

"악상이었어."

"두 분 다?"

"응."

나와 유사한 점이 상당히 많았다. 물론 나는 부모님의 얼굴조
차 기억나지 않지만, 그레이스도 총살인 데다 내가 보는 앞에서 삶
을 마감했다.

그 후로 별 흥미로운 일은 일어나지 않았다. 카페에서 나와 꽃
밭을 걸었는데 로즈 씨가 화단에 핀 동백꽃 향기에 매료되어 도무
지 움직일 생각을 하지 않았기 때문에 나도 반강제로 몇십 분간
꽃향기만 들이키느라 머리가 조금 지끈거렸던 게 가장 기억에 남
는 일이라면 아마도 그럴 것이다.

우리는 점심을 먹으러 가기로 했다.

"죽는다는 게, 그렇게 크고 대단한 건 아니더라고." 포장된 길
을 걸으며 로즈 씨가 말했다. "그렇지만 죽는 것에 대해 스스로에
게 조금의 연민도 가지지 않는 것은 안타까운 일이야."

로즈 씨는 애써 슬픈 얼굴을 감추려 노력했다. 그 다음엔 크게
숨을 들이마시며 가슴을 쓸어내렸다.

"왜?"

"잃을 게 없다는 거잖아. 살아갈 가치가. 살아갈 이유가."

"꼭 살아갈 이유가 있어야 하는 거야?"

"그것이 삶의 원동력이니까. 사소하더라도 좋지만 그마저도 없
으면 버티지 못할 거야."

"음, 왠지 요즘은 죽는 게 싫어지더라고."

"사실 연회 때 일이 아직도 마음에 걸려. 대화를 나눈 누군가가 죽는 것은 처음이었어."

로즈 씨는 잠에 들 때면 가끔 그날의 악몽을 꾼다고 말했다. 편히 잠들려다가도 조금의 그 생각이 난다면 머릿속에서 걷잡을 수 없이 부풀려 진다는 것이었다.

"너는 그 날을 잊었을 수도 있어. 근데 난 전부 생생하게 기억난다? 사모예드가 연회장을 뛰어다녔던 것도, 내 제자가 네 멱살을 움켜잡은 것도, 그리고 그 독이 든 와인은 코번트리 백작이 직접 들고 온 것도….."

어?

듣고 보니 희미하게 기억나기 시작했다. 그날 와인 잔은 웨이터의 서빙 없이 코번트리 백작이 직접 들고 나를 찾아왔었다. 반갑다는 인사와 함께 좀 더 친근하게 보이려고 그랬으리라 생각을 했었다. 복잡했다.

로즈 씨는 더 이상 입을 열지 않았다. 분명 이에 관련해 하고 싶은 말이 많은 듯 보였지만 그런 무거운 분위기의 대화주제로 놀러 나온 기분을 망치고 싶지 않아 눈치를 보는 것이 다 느껴졌다.

훈제 청어를 먹으러 근처 식당가로 들어갔다. 시끌벅적한 주변 소음에 소란스러운 특유의 분위기는 별로였지만 음식 맛은 있었다. 쉽게 질리는 청어였지만 나름 괜찮게 먹은 건 바로 앞에 같이 밥을 먹는 사람이 있다는 든든함이 한몫한 것 같았다.

잠시 뒤, 든든히 배를 채우고 아슬아슬하게 극장에 입장을 했다. 많이 먹고 달린 탓에 조금 체를 한 것 같아 오페라에 집중은 안 됐지만 로즈 씨는 꽤나 재밌게 본 듯했다. <야래향>는 중간중간에 생각보다 기괴하고 무서운 연출이 없지 않아 있었는데, 로즈 씨는 정말 재밌었고 본인은 매우 즐겼다고 말했다.

두 시간 삼십 분 동안의 오페라가 끝나고 우리는 바로 전철을 타고 집 근처에 내렸다. 오늘도 한 일이 많았기에 많이 놀지 못한 것이 아쉬웠지만 나의 시계집이 열리기만을 기다리는 손님들을 있었기에 돌아가는 것이었다.

얼마 안 가 갑작스럽게 비가 추적추적 내렸다.

뜬금없이 내리는 10월의 비는 두꺼운 물줄기로 지상의 모든 것을 두드렸다.

원래는 집에 들어가기 전에 공원 벤치에 앉아 끝없는 대화를 나누다 들어갈 생각이었지만, 이 비가 더 심해지기 전에 그냥 집에 들어가기로 했다. 우산 없이 밖을 나온 다른 사람들도 갑자기 내리는 비에 한숨을 쉬며 달리기 시작했다. 나와 로즈 씨도 비를 맞으며 뛰기로 했고, 나무 그늘 아래에서 나오자마자 달렸다.

빗물이 고인 바닥에서는 찰박거리는 소리가 났다. 아주 잠깐이었지만, 내가 느낀 것은 시원한 자유였다. 모든 후회와 불안을 잠시나마 떨쳐내고 이 순간에 몰입하는 것이었다. 차가운 빗물로 만들어진 시원한 바람이 얼굴에 부딪히며 그것이 극대화되었다. 그것은 옆에서 같이 뛰고 있는 로즈 씨도 마찬가지였나 보다. 지금 이 순간을 즐겼다. 그 누구의 간섭도 없이.

얼마나 달렸을까. 멈추지 않는 그녀를 따라 달리다 보니 어느새 내 집을 지나쳤다. 조금 더 달리고 나서야 그녀의 집 앞에 도착했다.

"잘 가! 즐거웠어."

"안녕."

로즈 씨는 내가 집을 지나쳐왔다는 사실을 모르는듯했고, 이내 자신의 집으로 들어갔다. 나는 로즈 씨에게 손을 흔들며 인사를 하고 자연스럽게 돌아서 내 집으로 향했다.

그날로부터 며칠간 세상은 비에 젖어 마를 줄을 몰랐지만, 내 삶은 한 사람 덕분에 한층 풍요로워졌다.

시계를 제조하고 수리하는 기술을 독학해 돈을 벌기 시작했다. 기억을 잃었다지만 예전에 했던 일이라고 두 손은 곧잘 따라주었다. 때때로 외롭다고 느낄 때면 로즈 씨를 찾아갔고, 역시 혼자보단 둘이 나았다.

처음 보는 이들은 오랜만에 장사를 시작한 나를 기다렸다며 반가움을 표했다.

내 집에 있는 작업실에는 밖과 연결되는 커다란 창이 있었는데 그것을 열어 사람들을 만나며 장사를 했다. 덕분에 나는 익숙하고 편한 내 작업실에서 주문을 받았고, 로즈 씨가 가끔 찾아와 주문을 넣는 날엔 차례가 정해져 있는 주문들을 전부 미루고 그녀의 주문을 먼저 작업하기도 했다.

로즈 씨도 조향으로 돈을 벌고 있는데 요즘 들어 꽤나 잘 돼 가는 모양이었다. 그녀는 이틀, 혹은 사흘에 한 번씩 내게 직접 조향 한 향수를 선물하곤 했는데 내 취향을 어디서 알아낸 것인지 로즈 씨가 보낸 향수의 향은 언제나 달콤했다. 그중 제일 인상 깊었던 것은 어두운 오후, 강가를 걸으면 나지막이 풍겨오는 희미한 저녁달의 향기가 생각나게 만드는 향수였다.

시간은 흘러 10월 15일이 되었고, 같은 달 초하룻날에 있었던 연회에서 받은 정신적 피해를 상당 부분 회복하고 있었다.

무엇보다 그레이스와 금발머리가 수도 없이 죽어나가는 그 사건의 무한한 굴레에서 벗어났다는 해방감은 좀처럼 사그라지지 않았다. 어쩌면 이런 소소한 나날이 그 화려한 연회보다 더 아름다운 것일지도 모른다.

*

햇빛이 거의 들지 않는 오후였다. 로즈 씨와 함께 술집에 갔던 날부터 계속 내리던 비는 며칠이 지난 오늘까지 그칠 기미가 보이지 않았고, 거리 곳곳에는 바닥에 물이 고이기 시작했다. 물론 이 때문에 생활하기에 불편한 점이야 많았지만, 나무와 풀들은 더욱 생기를 되찾은 것 같아 보였다.

그날, 로즈 씨의 집이 어디에 있는지 알게 된 것이 천운이었다. 언제든지 그녀의 집에 찾아가서 얼굴을 볼 수 있다는 사실이 내게 힘을 주었다.

빗소리에 눈을 떴다. 이렇게 개운한 낮잠은 아주 오랜만이었다. 하늘은 맑지 않았지만 아무렴 어떠한가. 힘없는 빗소리에 기분까지 우울해진다면 로즈 씨를 찾아가면 되는 것이었다.

그러나 문을 열고 집을 나섰을 땐, 우산도 없이 흠뻑 젖어서는 내게 천천히 걸어오는 누군가를 마주하였다. 표정은 아무런 말도 하지 않고 있으나 그 속에서 슬픔이 우러나오는 듯한 얼굴의 장발이었다.

어째서 그를 볼수록 괜히 식은땀이 났다. 그의 표정은 점차 어두워졌다.

그는 맨발이었다. 축축하게 홀딱 젖은 장발은 그렇게 내 집으로 들어섰다. 그가 발을 내딛었던 곳엔 물이 고였다. 장발의 긴 머리칼에선 물이 뚝뚝 흘렀다. 그는 그런 모습으로 내게 다가오더니 입을 열고 이렇게 말하는 것이었다.

『…로즈 씨가 죽었어.』

비로소 내가 되었다

로즈 씨가 죽었다고? 왜? 갑작스러운 상황에 좀처럼 믿기 힘든 상황이었다. 얼마나 큰 충격이었는지 모른다. 모든 것이 한순간에 무너지는 느낌이었다. 그 사실이 받아들여지지 않았다. 갑자기 멀쩡하던 사람이 죽었다고 하면 누가 믿겠는가.

장발은 무심하게 그 말을 던지고는 식탁에 앉아 석상처럼 아무런 움직임도 없었다.

그러나 직접 그녀의 집까지 찾아간 뒤에는 현실이 조금씩 보이기 시작했다. 경찰 몇 명이 로즈 씨의 집 주변에서 서성거리며 심각한 표정으로 이야기를 나누고 있었는데, 옆에서 몰래 들어보니 사망한 이유를 전혀 찾지 못하겠다는 내용이었다. 심장이 철렁 내려앉고 쿵쾅쿵쾅 뛰어대는 것은 어쩔 수 없었다. 스스로의 모습을 보아하니 로즈 씨의 죽음을 전했던 장발의 모습과 똑같지 않은가. 맨발로 달려온 탓에 발바닥엔 수많은 상처가 났고, 피는 흐르는 빗물에 섞여 돌 도로 사이사이로 스며들었다.

집에 돌아와 한꺼번에 버리려고 모아둔 신문 더미를 뒤져 최근 7일간의 조각신문들을 모두 골라 집었다. 놓치는 부분 없이. 꼼꼼하게 기사를 전부 읽어 내려갔으나 언론을 통해 떠오르는 사망사고는 없었다. 다시금 마음이 굳어가는 것을 느꼈다. 이해할 수가 없었다. 이런 일이 벌어질 줄은 정말 생각지도 못했다. 로즈 씨는 우울증에 시달리던 사람도 아니었는데.

먹지도 마시지도 무하ㄱ 잔뜩 ☖체헤ㄹ긴 체 시ㄱ긴읕 게ㄱ늑 흘러 어느덧 10월 24일이었다. 로즈 씨의 자리가 비어있는 동안 뼛속까지 깨닫는 그녀의 가치는 점차 높아져만 갔다. 온몸으로 거부하던 로즈 씨의 죽음은 그녀가 아무리 찾아봐도 어디에도 보이지 않는 탓에 점차 받아들이게 되었다.

현관문 앞엔 신문만 쌓여갔고, 마른 단풍 향만이 창문을 타고 들어와 집 내부의 습한 공기를 순환시켰지만 기분은 며칠 째 나아질 기미가 보이지 않았다. 지금까지 힘든 나날을 보내와서 그런 것일까, 아니면 단순히 집착에 불과한 것일까. 겨우 찾은 행복했던 일상에 큰 변화가 찾아오더니 순식간에 몸과 마음이 금세 핼쑥해지는 것이 느껴졌다.

거실에선 언제나 장발이 소파에 앉아 허리를 구부린 채 잠을 청하고 있었지만 근래 그가 도움이 되는 부분은 하나도 없었다.

로즈 씨가 죽은 이유라도 알고 싶었으나 더 이상은 방법이 없었다. 그때 집을 사겠다는 사람은 그러지 않기로 결정했는지 로즈 씨의 집은 텅 빈 채 외벽만이 그 구조를 갖추고 있었다. 아직까지도 신문에서는 살인사건이나 사망사고 기사를 일절 찾아볼 수 없었다. 실종자조차 없었다.

정말 말 그대로, 아무도 모르는 돌연 의문사였다.

그날부터 하루는 매일 똑같이 반복되었다. 아침에 일어나면 가장 먼저 현관문 앞의 신문을 확인한다. 모든 면에는 항상 도움이 되지 않는 기사들이 저마다 자리를 차지하고 있다. 그 뒤로는 작업실에 앉아 주문을 받고 시계를 만지작거린다. 일이 손에 잡히는 않지만, 로즈 씨와의 약속은 지켜야 하니 억지로 몸을 움직였다.

점심시간이 되면 간단하게 빵과 수프를 먹는다. 옆에서 장발이 부담스럽게 쳐다보지만 나는 최대한 신경을 쓰지 않으려고 노력했다. 그 외에도 이미 신경 쓰이는 것이 있었으니까. 하지만 시간이 지나 아무것도 나아지지 않는다는 것을 깨달았을 땐, 마음속에 커다란 상처가 남아있었다.

추억은 위선자로서 따뜻함만을 전해줄 것 같이 다가와 쓰라린 아픔과 그리움만을 전하고는 뒤도 돌아보지 않은 채 떠난다고 했다. 따뜻했던 추억이라는 이름표 뒤로는 날카로운 칼을 갈고 있으니 과거를 추억함으로써 얻는 것은 서글픈 그리움과 거대한 미련뿐이라고. 서리 씨가 맞았다. 결국에 남는 건 없었다. 시간만 채우고 사라지는 것이다.

짧은 시간이었지만 그동안 서로에게 마음을 열었다고 생각했다. 가치 있는 존재가 되었다면 그동안 함께했던 시간이 아까워서라도 잊지 못할 것이다. 로즈 씨가 죽은 이유로 가장 의심 가는 것은 전혀 없었다. 만약 그녀가 흑향기와 엮였던 적이 없다면 말이다.

괜히 별의별 생각이 다 들었고, 스스로가 생각보다 이것에 진심으로 미련을 두고 있다는 것이 느껴졌다. 애수 어린 마음엔 더 이상 희망이 없었다.

살아왔던 지금까지 정말로 강렬했던 것, 사람들은 그것이 다시 돌아올 것이라 굳게 믿고 하염없이 기다린다. 그러나 오랜 시간이 지나고서야 돌아오지 않음을 깨닫고, 어떤 이는 마음을 위로해 줄 또 다른 추억을 찾고, 어떤 이는 더 이상 그것의 의미를 밑바닥까지 추락시켜 버린다. 모든 이가 그것을 잘 알고 있지만 눈물을 머금고 기다린다. 그것이 돌아오는 것이 간절한 염원이고 포기할 수 없는 소원이니까.

나 또한 그러했다. 공허한 나날을 보내며 애써 잊어보려 하면 부정만을 인지하는 뇌는 내 심정을 알기라 하는가 그것을 꼭 붙잡아뒀다. 시계공으로서 시계가 아닌 시간을 고쳐 잘못된 모든 부분들을 전부 고치고 싶었다. 고칠 수 없다면 다시 되돌아가고 싶었다.

반복되는 시간의 굴레에서 그렇게 벗어나고 싶었던 나였지만 이제는 시간을 돌려 행복했던 나날들만 반복하고 싶었다. 복잡한 정서와 울분을 연속으로 닥치는 불행한 일이 그 모든 것을 끄집어내는 듯했다.

로즈 씨를 만나 술집에서 와인을 마시던 날부터 오기 시작한 비는 전보다 훨씬 굵어져 아직까지 그치지를 않았고, 나는 오히려 그 비가 그치지 않기를 원했다. 로즈 씨가 의문사하기 전부터 내리던 비. 그 향기가 남아있어 그녀를 회상하게 하는 유일한 가치였으니까. 내가 지금까지 로즈 씨에게 느꼈던 감정은 친근함일까, 아니면 행복을 찾아 안정된 삶을 살고 싶은 나의 내면에서 나온 묘한 발악이었을까? 기억을 잃기 전에 겪었던 어떠한 일이 상처로 남은 것일지도 모르겠다.

그다음 주, 열 시간 같은 한 시간을 스물네 번 보내며 하루하루를 견뎌가는 중에 환각증세가 찾아왔다. 언제부터 장발이 내가 어디에 있건 구석에서 나를 지긋이 쳐다보는 것이다. 눈동자 없는 그의 시선은 불편하고 소름 돋았다. 언제 어디에서 무엇을 하든 누군가 나 몰래 날 빤히 쳐다보고 있다는 것은 끔찍하니까.

혼자 있어도 주위를 둘러보면 결국 어딘가에는 장발이 얼굴을 내밀고 나를 주시하고 있었다. 짜증에 못 이겨 그에게 마시던 차가 담긴 컵을 던졌을 땐, 그가 애초부터 환각임을 알게 되었다.

장발을 통과한 컵은 그렇게 바닥에 곤두박질치며 깨졌고, 그는 자신이 환각임을 이제 알았냐는 말을 하더니 환각은 물리적으로 자유롭다는 듯 마음대로 내 눈에 보였다 안보이기를 반복했다. 그는 언제나 나만 보이는 환각이었던 것이다. 기차역에서 그를 처음 마주한 그 순간부터 지금까지 쭉. 돌아보니 그렇게 생겨먹은 흉측한 괴물을 사람들이 보고 그냥 지나칠 리가 없었다.

어느 정도 의심은 했다만, 더 깊게 생각해 봐야 머리만 아팠다. 그냥 '그저 그런 불확실한 존재'로 내버려 둘 생각이었다.

그가 환각이든 귀신이든 나는 언제나 그를 봐왔고, 그에게 영향을 많이 받은 것도 사실이니 어쩌면 내게 주어진 길 위에 서있는 걸지도 모른다.

주말 오후, 누군가가 작업실의 창문을 두드렸다. 시계를 주문하기 위해 찾아온 손님이었다. 나는 요즘 따라 무거운 몸을 이끌고 작업실로 가서 창문을 열고 손님의 주문을 받았다. 기운이 없어 보이는 중장년층의 여자 손님이었다. 누추한 이 거리에 어울리지 않는 보라색 드레스를 입은 모습이 독특했다.

"이 시계 좀 수리해 주세요. 어제 한번 떨어뜨린 이후로 작동을 하지 않아서요." 그녀는 이렇게 말하며 내게 멈춰버린 회중시계를 내게 건넸다.

"이름."

"로즈 에렉스예요."

…요즘 들어 사소한 것들에서 로즈 씨와 연관된 것들이 자꾸

머리에 들어왔다. 어째 손님 성함이 '로즈'다.

"어디서 떨어뜨린….."

"아도니스에서요." 그녀가 내 말을 끊고 대답했다. "덴타아 세 책점 맞은편에 있는 술집인데, 현관 앞에서 떨어뜨렸어요. 근데 떨어진 부분이 대리암이었는데 괜….."

손님의 그 뒷말은 더 이상 들리지 않았다. 아도니스라면 로즈 씨와 내가 함께했던 유일한 술집이었다.

"…만 이거 수리하는 데 얼마 정도 나올까요?"

정신을 차리니 손님의 목소리가 들렸다. 그 중간 내용은 듣지 못했다.

"백사십 파운드요."

"비싸네요."

"다른 데 가세요."

"아니에요, 여기요. 다음 주에 찾으러 올게요."

나는 손님의 중간 말은 듣지도 못했지만 대충 시계와 그녀가 건넨 지폐더미를 건네받은 뒤 창문을 닫았다.

다이얼을 뒤로 돌려 뚜껑을 열자 나사 몇 개가 빠져 부품이 이리저리 뒤틀려 있었다. 마침 기름칠도 수명을 다했으니, 감마제를 바르고, 조각난 로터와 이스케이프먼트만 교체한다면, 이 시계는 다시 제 기능을 하겠지….

그렇다면 나는 무엇을 교체해야 하는 거지. 아무리 생각해봐도 알 수가 없었다.

*

그날따라 속이 안 좋았다. 눈앞이 일렁거렸고, 일상의 모든 사소한 소리가 확대되어 희미하게 들렸다. 물속에서 잠수 중일 때 밖에서 들리는 소리를 듣는 느낌이었다. 반경 약 5야드 외 모든 것들이 눈에 들어오지 않을뿐더러, 멀미와 함께 속이 울렁거렸다.

"살려줘! 제발…!" 누군가 소리쳤다.

정신을 차리고 주위를 둘러보니 이미 화염 속에 꼼짝없이 갇힌 후였다. 대형화재사고였고, 어떤 여자가 3야드 정도 떨어진 곳에서 이미 쏟아진 잔해에 다리가 깔린 채 아무것도 못하고 있었다.

정신이 오락가락한다. 감당할 수가 없을 정도로.

눈을 떴는데 기억을 전부 잃고, 눈을 떴는데 화재 속에 서있는 꼴을 보자니 넌덜머리가 나고, 이젠 눈을 뜨는 게 두렵다.

침착하게 주위를 살피고 상황파악을 하려 했지만 앞뒤 상황을 모르는 혼란 속에서 제대로 된 상황파악을 할 수 있을 리가 만무했다. 하나 정신을 차려보니 정작 내 몸은 없었고, 어느 화재사고 현장이 내 눈앞에 펼쳐졌을 뿐이었다.

지나치게 생생하긴 하다만, 이건 현실이 아니라 꿈이었다. 늦게나마 깨달아서 다행이지.

사람들이 북적이는 건물에 갑작스러운 불길이 요동치고 잔해에 깔린 그 여자가 비명을 질러댔다.

그녀뿐만이 아니라 이미 아수라장이 되어버린 이곳은 흡사 지옥 같았다. 아무리 꿈이라 한들 벗어나고 싶었다. 나는 이 화재사고로 인해 다치지도 않고 죽지도 않을 것이란 걸 이미 알고 있지만, 이런 곳에서 모든 상황을 지켜본다는 것 사체로도 괴로웠다.

"기다려!" 장발이 소리쳤다.

"살려줘!"

도서관 한가운데에 우왕좌왕 거리던 장발이 그 여자를 구하기 위해 뛰었다. 그곳에서 장발은 환각이 아닌 꿈을 이루는 존재로 실제로 있었다.

유일한 탈출구인 정문은 반대편이었지만 장발은 그 여자를 포기하지 않고 구하기 위해 뛰었다. 장발이 아끼던 사람이었을까? 이미 가까운 사람의 죽음이 얼마나 쓰라린지 알기에, 장발의 행동이 이해가 되었다. 그에겐 그녀를 구할 기회라도 있었지.

덜커덕! 쿵!

"으악…!"

마음이 너무 급했다. 건물은 이미 서서히 붕괴가 시작되었는데, 장발은 잔해에 깔린 여자를 구하러 가던 중에 그 바닥에 널브러진 잔해에 걸려 넘어지고 말았다. 한시가 급한 이 상황에 턱부터 바닥에 박기는 했지만 고통은 느끼지 않는 듯했다. 그는 언제 그랬냐는 듯 다시 일어났지만 그 충격에 불에 잔뜩 달궈진 나사 부품들이 우르르 쏟아지며 장발에게 수많은 상처와 오른쪽 종아리에 화상을 입히며 다시 그를 주저하게 만들었다.

그의 시야엔 죽어가는 여자뿐이었을 테니까. 장발의 팔다리는 눈에 거슬릴 정도로 심하게 떨렸다. 오른쪽 다리가 뜨거운 금속들에 잔뜩 지져졌는데 일어나서 여자를 구출하고 빠져나가는 것이 과연 가능할까?

결말은 보지 않아도 뻔했다.

내가 보는 것이 장발의 과거일까? 그가 품고 살아온 아픔일까? 그가 고통스러워하는 모습은 강렬하게 뇌리에 박혔다.

장발은 피부가 지져지는 고통 따위 아무렇지 않다는 듯 다시 일어났다. 단지 벽에 잡고 힘겨운 몸뚱어리를 일으켜 세웠을 뿐이었다.

…콰쾅!

"…!"

그리고 그 다음 장발은 그 자리에 그대로 얼어붙고 말았다. 벽이 부서지면서 그 충격으로 커다란 책장이 쓰러졌다. 활활 타오르는 책장은 정확히 엎어져있는 여자의 머리 위로 떨어져 그녀를 강타했다.

이미 불길 속에서 모든 것이 새빨갛게 타오르고 있었는데 또 하나의 검붉은 액체가 사방으로 잔뜩 튀었다. 책장에 깔린 여자는 짧은 비명소리를 끝까지 내지르지 못하고 그렇게 죽어버렸다. 그 순간에 장발의 절규와 비명에 그가 얼마나 처참했는지 모른다.

안타까웠다. 물론 눈앞에 펼쳐진 모든 상황이 허구였단 걸 알지만, 이미 그가 느꼈을 감정에 공감되었다. 장발은 다리에 힘이 풀려 털썩 엎어지고는 힘겹게 그녀에게 다가갔다. 하지만 그 여자를 구할 가망은 없어 보였다. 아무리 고통을 인지하지 못하는 상태라 한들 불타는 책장을 맨손으로 들어 올릴 수는 없는 노릇에, 이미 그녀는… 죽었으니까.

도서관에 남아있던 사람들은 대거 탈출을 시도하며 장발을 밀치거나 밟으며 정문을 향해 달려갔고, 장발은 그 충격으로 의식을 잃으며 뜨거운 불길 속에서 쓰러졌다.

격한 감정과 뜨거운 불길 속에서 탈진한 것이 더해져 기절한 것 같다.

수많은 사람들이 정문으로 몰려 억지로 닫힌 문을 억지로 열려 안간힘을 썼다. 굳게 닫힌 문 사이로 손톱이 끼어 겹치 빠지는 고통을 참아가며, 달궈진 문에 손이 지져지는 고통을 참아가며 필사적으로 노력했다. 질서도 침착함도 없는 그들은 그렇게 악을 쓰며 문을 열었고, 살기 위해 연 문은 그 순간에 막대한 양의 산소가 주입되며 커다란 폭발과 함께 사람들을 몰살시켰다. 그렇게 도서관 한가운데에서 홀로 자리를 지키던 장발만이 그때까지 목숨을 부지할 수 있었다. 그 이후로 어떻게 살아 나왔는지는 모른다.

나도 그것을 끝으로 기억이 끊겼다. 그것은 꿈이었지만, 악몽을 가장한 지옥이었다.

*

눈을 뜨니 은은한 조명이 달린 천장이 보였다. 나는 웬 침대에 누워있었고, 이곳이 병원이라는 것을 깨달았을 때는 그리 오랜 시간이 지나지 않은 시점이었다.

의사는 깨어난 나를 보더니 다가왔다. 그는 어딘가 익숙한 의사가운을 입고 있었다.

"집에서 쓰러져 계셨다는 신고가 들어왔소. 사람들이 가보니 정말로 소파에서 굴러 떨어진 채였다고 하더군." 의사가 말했다.

"악몽을 꿨습니다. 쉽사리 잊히지 않는군요."

"그것 참 안 됐소." 의사가 아무렇지 않다는 듯 대수로운 표정을 유지했다. "밥을 좀 드시오. 그게 최고의 치료일 걸세."

"예?"

"영양결핍으로 쓰러진 거요. 그리고 우울증도 같이 있는 것 같소." 의사가 무언가 적혀있는 수첩과 나를 번갈아보며 말했다. "또한⋯."

"⋯."

"⋯아무것도 아니오. 더 알아봐야 좋을 것도 없겠소."

"전 혼자 사는데요?"

"누가 신고했느냐고?"

"집에 올 사람도 없을 텐데요."

"로즈 부인일세. 로즈 에렉스 부인⋯."

의사는 이 말을 끝으로 수첩에 무언가를 적으며 돌아갔다.

그 뒤로 병원 침대에 누워 놀란 마음을 가라앉혔다. 익숙한 풍경에 이 병원이 발프 병원이라는 것을 모를 수가 없었다. 우연스럽게도, 내가 누워있는 이 침대에서는 그레이스가 흘린 눈물의 잔향이 진하게 맴돌았다.

그렇게 정확히 무슨 일이 일어났던 건지 제대로 알지 못한 채로 의사 몰래 병원을 나왔다. 혹시나 하는 마음에 곧장 뒷길로 달려가 호세의 자리를 확인했다. 그가 지내던 가죽 텐트는 이미 찢어지고 허물어져있었고, 그 근처에 수많은 양의 못 보던 벽돌들이 쌓여있었다. 그가 찢어진 가죽 텐트를 대신해 임시 거주지를 만드는 중인 것 같았다.

그 한가운데에는 멀리서부터 희미하게 보이는 어떤 움직이는 형체가 있었는데, 역시나 호세였다. 그는 아직도 굽은 허리로 팔과 다리를 모아 쪼그린 채 누워 숨만 쉬고 있었다.

어둑어둑한 거리에 그늘이 져있고 이곳을 밝혀주는 조명도 하나 없어 그의 얼굴을 보이지 않았지만 어둠 속에서 생기를 느끼고 그의 존재를 알아차렸다.

말 한번 섞어본 적 없었는데 지금은 그가 너무 반가웠다. 내가 지금 너무 힘들어서일까, 죽지도 않고 돌이의 지리를 지키고 있는 그가 내 삶의 유일한 버팀목처럼 느껴졌다.

빼빼 마른 이 기괴한 노숙자가 그곳에서 어떻게 살아 나왔는지는 모른다. 그가 그 이후로 어떻게 살아왔는지도 알고 싶지 않았다.

그냥 나는 지금 어딘가에 의지하고 기대고 싶었던 것은 아니었을까.

"아직 안 죽었네."

호세가 옆으로 누워서 꾸벅꾸벅 졸다가 내 목소리를 듣고 고개를 돌려 나를 보는 것을 느꼈다. 그도 내가 반가웠던 것인지 나를 보자마자 벌떡 일어나 나의 어깨를 마구 두드렸다.

그의 피부는 여전히 차가웠지만, 지난번보다 살은 많이 붙어있는 것 같았다.

주변엔 머리나 다리 없는 쥐 사체와 살점이 군데군데 붙어있는 뼈가 즐비했다.

호세는 웃는 얼굴의 나무 가면을 아직도 차고 있었는데, 하관 부분이 부서져있어 그의 피부가 다 드러났다. 그의 왼쪽 입이 심각하게 괴사 하여 입안이 다 보일정도였다. 그가 지금까지 말을 하지 못한 이유를 깨달았다.

호세는 팔을 허우적대며 나를 집으로 돌려보냈다. 그가 사는 환경을 보니 그 이유를 알 듯했다.

그는 내가 집에 데려가겠다는데도 필사적으로 거절하는 호세였다.

집으로 가는 길, 몇 걸음 걷고 뒤를 돌아보니 호세는 나를 등지고 옆으로 누워서 잠을 청하고 있었다.

그가 나보다 몇 배는 더 힘들게 살고 있겠지.

그레이스도 죽고, 그의 몸 상태도 말이 아니다. 지금까지 버텨낸 그의 정신력이 참 대단한 것이었다.

해가 지고 밤이 깊어져갔고, 로즈 씨는 더 이상 그립지 않았다. 더 이상 그립지 않았다. 더 이상.

나는 너무나 괴롭고 힘든 이 시기에서 벗어나기 위해 내 마음가짐부터 바로잡기로 다짐했다. 그저 평범하게 시계로 먹고살면 힘들 것도 없었다. 하지만 하늘은 내가 행복하게 사는 것을 반대하는 것일까, 나아가 그저 평범하게 사는 것을 반대하는 것일까. 스스로 내 시간을 가져보려 했지만, 사건은 바로 뒤에 일어났다.

*

오후 11시 즈음, 잠을 자기 위해 침대에 누워 눈을 감고 있었다. 이제는 복잡한 정서를 정리하는 것도 지친 와중에 조금 열어둔 창틈으로 들어오는 미풍, 그리고 함께 들어오는 습기가 내 얼굴로 불어왔다. 차가운 칼바람에 콧속이 온통 얼어붙는 느낌이었지만, 그것 하나 때문에 침대에서 일어나 창문을 닫고 다시 눕는, 그런 비효율적인 에너지 낭비를 하지 않기로 마음먹은 지는 오래였다.

몸을 돌려 창문을 등지고 누우니 바람이 이제는 뒤통수를 강하게 때렸다.

시간이 조금 흐르고 상당히 거슬렸던 바람이 멎자 내 귀에는 풀벌레소리와 숨소리, 그리고 빗소리밖에 들리지 않게 되었다. 반복되는 잔잔한 소리에 안정을 되찾고 있던 와중, 누군가의 찰박거리는 발소리가 들렸다.

눈이 닫혀있어 마침 소리에 집중하고 있던 터라 더 잘 들렸던 것 같았다.

나는 듣는 것에 정신을 집중하고 소리만으로 그 발소리의 주인공의 위치를 유추했다. 하지만 그 사람이 발소리를 멈춘 것은 바로 내 집 현관문 앞이었다.

발소리의 주인공은 내 문을 두드리지 않았다. 달깍거리는 소리와 함께 잠겨있는 문을 따려는 시도를 했고, 나는 그가 평범한 사람은 아니라는 것을 알아차렸다. 생명에 위협을 느꼈다.

그가 문을 여는 순간 달려 나가서 덮칠까? 지금이라도 작업실 창문을 열고 탈출할까? 날카로운 도구들을 무기 삼아 들고 있을까? 일어날 수 있는 온갖 끔찍한 상황이 떠올랐고 내 마음은 복잡했지만 발은 쉽게 떨어지지 않았다. 점점 빨라지는 심장박동수가 느껴졌다.

살 수 있을까?

끼익―

기어코 그 사람은 내 집 안으로 침입하는 데 성공했고, 거실을 누비는 것이 느껴졌다. 나는 지금 침실에 있었고 그가 나를 발견하려면 침실 문을 열고 들어와야 했다. 나는 숨까지 참아가며 그가 이곳으로 들어오지 않기를 기도했다. 잠겨 있는 문을 억지로 따서 들어왔다는 것에서 내게 위협을 주는 존재라는 것을 직감했다. 언제라도 벌컥 열려 그가 들어올지 모르는, 거실로 연결된 그 조용한 문이 너무 무서웠다.

그가 바로 옆에 있는 내 작업실 문을 여는 것이 느껴졌다. 차라리 그곳에 있는 여러 값비싼 시계와 기구들을 가져가기만 하면 좋겠다고, 그것으로 끝냈으면 좋겠다고 생각했다. 나는 침입자와 벽 하나를 두고 숨까지 참아가며 긴장의 끈을 놓지 않았다.

그러나 오늘따라 스산한 기운을 내뿜는 경첩소리를 들었을 때, 그것이 누군가가 내가 있는 침실의 문을 천천히 열고 있다는 것을 의미한다는 것을 알았다.

살짝 열린 문틈 사이로 그는 말없이 나를 쳐다보았다. 나는 그 사람과 눈이 마주치고 말았다. 어둠 속에서 소름 돋게 뜬 그의 오른쪽 눈이 나를 계속해서 응시했다.

어…, 어어… 백작…?

그는 코번트리 백작이었는데 비로 인해 흥건히 젖은 머리, 백작답지 않은 후줄근한 옷, 그리고 시선을 아래로 내리자… 다급히 등 뒤로 감추는 오른손에는 날카로운 흉기. 지금까지 내가 본 그의 모습과 대비되었다.

그는 갑자기 기괴한 소리를 지르며 내게 달려들었다. 나는 놀라서 그의 팔을 붙잡고 저항했다.

코번트리 백작의 얼굴에는 알 수 없는 분노가 가득했다. 하지만 당장 내가 그에게 잘못한 것이 떠오르지 않았다.

"베시!"

코번트리 백작이 소리쳤다. 하지만 나는 베시가 누군지도 모르…

"자네가 죽였잖소!"

…내가 베시라는 사람을 죽였다고? 지금까지 내가 죽인 사람은 그레이스가 죽던 날, 금발머리를 죽인 것. 금발머리를 죽인…, 아아…. 몇 달 전의 기억이 났다, 금발머리의 이름이 베시였지.

"베시 테오도르! 모른 척하지 말게, 내가 다 봤소!"

그날, 내가 금발머리를 죽인 것을 코번트리 백작이 다 봤다니. 복잡해지는 상황과 관계에 나는 어떤 것도 눈에 뵈는 게 없었다.

그저 코번트리 백작이 금발머리와 큰 관련이 있다고 생각할 뿐이었다. 그는 금발머리의 복수를 하러 온 것이었다.

나는 그냥 이 상황 자체를 이해하기 어려웠다. 일단 백작의 팔을 붙잡은 채 버티고 있는 힘을 푼다면 나는 죽으니, 죽기 살기로 버티는 것에 집중하기로 했다.

그에겐 흉기가 있고 나는 맨손이었다. 싸우면 내가 질 것이 뻔했으니 코번트리 백작을 잠깐 저지하고 그가 열어둔 문으로 나가 도망칠 생각이었다.

그를 뒤집고 곧장 문으로 달릴 틈을 노렸다. 점점 힘에 부쳤지만 그것은 코번트리 백작도 마찬가지였던 것 같다. 내가 그에게 힘으로 밀리지 않으니 그가 또다시 소리쳤다.

"천한 잡것이 주제도 모르고 연회에서 좋다고 즐길 때부터 알아봤소! 몇 번 시도했으면 좀 죽을 것이지…!"

그의 말은 귀에 들어오지 않았다. 그가 소리치는 것을 끝내고 숨을 고를 때 그를 오른쪽으로 내팽겨 쳐내고 도망갈 생각이었지만, 나같이 안 될 놈은 끝까지 안 되는 거였지.

밖에서 또 다른 누군가가 내 집으로 들어왔다. 아무도 없어야 하는 거실에 무언가 움직이는 그림자가 드리웠다. 그것은 점점 커지더니 이곳으로 다가오는 것이었다. 그가 천천히 걸어오는 소리가 들렸다.

너무 어두웠기에 보이는 것은 칼을 들고 날 죽이려 애를 쓰는 코번트리 백작뿐이었지만, 혼자 사는 내 집에 나를 제외하고 총 두 명이 침입해 있다는 사실은 살고자 하는 의지를 확 꺾어버렸다.

코번트리 백작이 고개를 뒤로 확 젖혔다. 정확히 말해, 두 번째로 들어온 그 사람이 코번트리 백작의 머리채를 잡고 그의 고개를 뒤로 당긴 것이었다.

나는 그 순간 코번트리 백작의 왼손을 보았다. 돌덩이처럼 딱딱하게 굳어버린 채 까맣게 변해버린 손은 마치 조각상을 보는 듯했다. 연회 때는 분명 안 그랬는데.

내 집에 들어온 또 다른 사람은 천천히 코번트리 백작 옆으로 머리를 들이밀었다. 딱딱한 나무판자가 코번트리 백작을 바라보았다. 호세였다. 그가 뒤에서 코번트리 백작의 머리채를 잡아 그의 고개를 뒤로 당긴 것이었다.

자연스럽게 코번트리 백작의 팔엔 힘이 풀렸고, 나는 그의 손아귀에서 벗어날 수 있었다.

코번트리 백작은 갑작스러운 누군가의 개입에 당황이라도 한 듯 천천히 눈을 굴려 호세와 나를 번갈아가며 쳐다보았다. 그러고는 기습적으로 호세에게 칼을 휘둘렀지만 호세는 그의 팔을 잡아 칼을 빼앗으려다 바닥으로 떨어뜨렸다.

나는 코번트리 백작이 놓친 칼을 빠르게 주워 그에게 다가가 그의 왼쪽 손목을 내리쳤다. 딱딱하게 굳은 그의 왼손이 바위 부서지듯 잘려나갔고, 피 마저 나오지 않았다.

오른쪽 손목도 자르려하자 코번트리 백작은 우리에게서 빠져나오려고 애를 썼고, 손목이 잘려나갈 공포 앞에서 초인적인 힘을 발휘했던 건지, 그는 기어코 탈출하는 데 성공했다. 호세가 그의 허리를 꽉 잡는 과정에서 중심을 잃고 약간 넘어진 틈을 타 빠져나온 것이었다.

코번트리 백작은 우리를 그대로 두고 거실로 달려 나갔다.

허겁지겁 거실로 나왔지만 코번트리 백작이 보이지 않았다. 활짝 열린 현관문이 눈에 들어왔다. 옆에서 거친 숨을 몰아쉬는 호세의 숨소리가 크게 들려왔다.

그는 어떻게 알고 이곳까지 찾아온 것이었을까. 호세는 벌써 두 번이나 내 목숨을 구해주었다. 난 양손을 그의 어깨 위에 올렸다. 거친 피부에 딱딱한 뼈가 그대로 느껴지는 그의 어깨가 벌벌 떨렸다. 우리는 잠시 동안 말없이 눈을 마주쳤다. 고된 상황에 어울리지 않게 해맑은 미소를 짓고 있는 그의 가면을 보고 있자니 착잡한 마음이 들었다.

그는 계속해서 가면을 손으로 만져댔다. 아무래도 끊어진 끈 하나가 신경 쓰이는 모양이었다. 난 그를 내 작업실로 데려갔다.

그 때,

쾅!

코번트리 백작이었다. 그는 작업실 구석에 숨어 있다가 책상 위에 놓여 있었던 철판으로 호세의 머리를 세게 내리쳤다. 호세는 그대로 머리를 움켜쥐며 바닥으로 엎어졌다. 시계를 수리할 때 책상에 까는 용도인 철판이었는데, 수리공의 철판 특성상 두꺼운데다 묵직하여 호세는 곧바로 의식을 잃었다.

안일했다. 집밖으로 나간 게 아니라 작업실에 숨어있었다니.

그는 그 철판으로 나를 벽으로 밀치고는 현관문 밖으로 냅다 뛰어갔다. 중심을 잡고 그를 쫓아가려고 시도했을 땐 이미 호세가 벌떡 일어나 나보다 먼저 코번트리 백작을 쫓아갔다. 난 그들을 뒤쫓아 갔다.

코번트리 백작은 전력을 다해 달렸고, 호세도 그의 뒤를 바짝 쫓았다. 호세는 코번트리 백작을 잡아내려고 긴 손을 쭉 뻗어 막 그의 옷자락을 잡아내려고 했지만 계속해서 허탕인 것이 멀리서 지켜보는 나의 마음을 졸이게 만들었다.

아무도 없는 한밤중의 세 남자의 추격전은 조용하지만 치열했다. 그리고 이내 킹스크로스역 근방까지 도달했다.

코번트리 백작은 넓은 기찻길이 있는 쪽으로 달렸는데, 야간열차 하나가 요란한 소리를 내며 그곳으로 달려오고 있는 것이었다. 아슬아슬하게 기차보다 먼저 기찻길을 넘어가 호세와 거리를 벌릴 생각인지, 그는 달려오는 기차를 보고서도 멈추지 않았다. 결국 코번트리 백작은 기찻길을 무사히 넘어가는 데 성공했다. 호세 역시 그를 뒤쫓았으나, 기차가 너무 가까이 와있었다. 호세가 열차를 피하는 것은 불가능해 보였고, 나는 멀리서 모든 상황을 지켜보며 그 자리에 얼어붙었다.

그가 기차에 치일까 봐 심장이 덜컥댔지만 호세는 기찻길의 작은 봉을 잡고 몸의 무게중심을 손끝으로 실어 바람에 흩날리던 코번트리 백작의 긴 코트의 끝자락을 잡아냈다.

호세는 코번트리 백작을 움켜쥔 오른팔을 뒤로 힘껏 당겼다. 코번트리 백작은 넘어지듯이 끌려왔다. 그리고 기차는 그대로 둘을 쳤다. 검게 보이는 피가 사방으로 튀었고, 기차가 지나가고 난 자리에 남아있는 것은 없었다. 어떠한 것도.

"호세!"

호세가 기차에 치이는 과정에서 내 쪽으로 튕겨져 나온 나무 가면이 멀리 떨어져 나가 묵직한 소리를 내며 세 조각으로 부서졌다.

런던에서 로즈 씨와 만났던 날부터 쏟아지던 얇고 가벼운 비는 어느새 굵고 무서운 비가 되어 여전히 온몸을 때려댔고, 거센 빗소리에 덩달아 울컥했다. 내가 기댈 수 있는 사람을 또 몇 번째 잃는 것인지 이제는 세는 것조차 버거웠다. 이번에도 나는 털끝 하나 다치지 않고 혼자만 살아남았다. 그렇게 정신을 차리고 보니… 또 나 혼자 남아있었다.

시간은 이미 너무 지체되어 있었지만, 그 뒤로는 흐르지 않는 것 같았다.

그저 사람들이 무서웠고, 불안정한 그런 관계는 더욱 무서웠다.

한 사람에게 진심이었던 적도 있었고, 죽음을 눈앞에 두고 두려움에 떨었던 적도 있었다. 상쾌한 아침과 아름다운 연회도, 힘들었던 시간도 전부 하나의 경험으로 남겠지.

이제는 앞만 보고 달리지 않을 것이다. 그저 안정된 삶, 행복한 삶을 좇으며 달리지 않을 것이다.

왜 그저 시계나 만지며 먹고사는 하층민인 내게만 이런 일이 벌어졌던 것일까?

내게는 안정되고 변하지 않는 것이 없다. 남은 가족도 없고, 우정을 나눌 친구도, 의지할만한 버팀목도 없거나 전부 떠나갔다. 미련을 두고 그리워하거나 미움을 두고 증오할 사람도 없다.

창문 너머로 눈을 동그랗게 뜬 작은달과 눈을 마주쳤다. 얼굴을 비추는 달빛은 그리 환하지 않았고 분명 같은 풍경을 보는 것이 며칠만인데 그때와 다르게 지금은 비가 내리지 않으니 공기 자체의 느낌도 매우 달랐다.

그 암울한 순간에 떠올린 사람은 서리 씨였다. 그녀가 한 말 중에는 틀린 말이 있었다.

추억은 인도자로서 따뜻함만을 전해줄 것 같이 다가와 마음의 감동과 성찰의 시간을 전하고는 여운을 가드 남긴 채 떠난다. 그리운 추억이라는 겉모습 뒤로는 행복했던 시간으로 안아주니 과거를 추억함으로써 얻는 것은 찰나가 아닌 행복의 미소와 기쁨의 눈물뿐이다.

강렬했던 만큼이나 힘들었던 이 시기가 내 인생에서 얼마나 큰 비중을 차지하기나 할까?

변함없이 거리에는 아침이 찾아왔고, 존재감도 없던 어느 시계공의 정신병과 어느 노숙자의 실종에는 아무도 관심을 갖지 않았다. 언론은 오직 코번트리 백작의 죽음만을 보도했고, 내게 시계를 주문했던 몇몇 손님들만이 나의 상태에 관심을 가졌지만 그조차도 며칠이 지나면 잊는 듯했다.

사람들은 내 집 앞에 모여 환불을 요구하는 작은 시위를 벌였고, 나는 그것 자체만으로도 우울증에 추가된 공황장애와 더불어 극도의 불안감에 시달렸다. 추가로 코번트리 백작이 죽던 날 밤, 그가 내 집으로 찾아왔었던 사실이 알려지면서 신문을 통해 내가 용의자로 지목되기까지 했다.

이튿날엔 수많은 경찰들이 내 집 앞으로 몰려들었다. 그 소란에 거실 바닥 한가운데에서 털을 갈고 있던 루시가 화들짝 놀라 탁자 밑으로 들어가 숨어버렸다. 이제는 누군가가 현관문을 두드리는 것만으로도 두려워졌다. 그들은 조사에 임하지 않는 나를 체포하러 온 것이었고, 커다란 도구를 이용해 현관문을 박살 낸 다음에야 나를 법정으로 데려갔다. 연행되는 와중에도 주변에서 웅성거리는 사람들의 시선이 너무 불편했다.

*

"본 법정은 피고인에게 2급 살인죄를 적용하여 264개월에 해당하는 22년형을 선고한다."

그 판사가 내게 마지막으로 했던 말이다.

결국 3심을 걸친 재판에서 2급 살인이 인정되어 22년형을 받게 된 나는 영국의 한 교도소에서 복역을 하게 되었다.

경찰의 조사에 따르면 코번트리 백작은 이미 세인트 케이든 연회 테러사건의 범인으로 지목된 후였지만, 내게 그런 범죄자를 살해할 권한이 없다는 것과 죄 없는 호세 또한 죽였다는 것에 초점이 맞춰져 이런 살인죄가 적용되었다는 것이다.

이번 사건은 억울했지만 내가 협조를 하지 못한 것도 있었고, 금발머리를 죽였던 적도 있으니 그것에 대한 벌을 받는다고 생각했다(어차피 그 분위기 속에서 내 이야기를 들어줄 사람이 없다는 것을 잘 알고 있었다.).

또한 이번 재판으로 코번트리 백작이 흑향기와 긴밀한 교류가 이어지고 있었다는 사실이 알려졌다. 그가 지금까지 숨겨오던 사실이긴 했지만, 애초부터 이 사건의 발단이 코번트리 백작의 습격이었음을 정부 측에서 알고 있었음에도 사람을 죽인 것은 그대로 감형 없이 재판을 받았다.

오로지 사람을 죽였다는 결과 하나뿐이었다.

더불어 사건이 있던 날에 호세와 코번트리 백작을 죽게 만든 기관차를 몰던 차장이 재판에서 두 사람의 투신자살이라는 증언을 했지만 법원은 이 사건의 모든 잘못을 내게 떠넘겼다.

빨리 사건을 마무리하기 위해 대충 넘기는 것이라는 게 곧바로 느껴졌다. 하지만 사람들의 조롱 속에서 시달리느니 22년 동안 그들의 기억에서 잊힌 채로 사는 것이 오히려 편할 것이라고 생각했다. 나는 그런 재판 결과를 겸허히 받아들였다. 22년이면 사람들이 날 잊기에 충분한 시간이었다.

재판을 듣던 청중들이 내게 야유를 보냈다. 죄 없는 불쌍한 노숙자를 죽였다는 것이 야유의 이유였다.

분명 이전까지만 해도 초라한 병원에 가려진 뒷골목에서 쥐 나 잡아먹던 어느 노숙자의 존재조차도 몰랐던 사람들이었지만, 그들은 어느새 호세 편에 서서는 나를 비난하고 있었다.

어느덧 수감 생활 3일째이지만 벌써 이 생활에 익숙해졌다. 그래도 아직까지는 이런 생활이 이전의 삶보다 더 나은 것 같았다. 내 집 앞에서 소리치며 시위하는 사람들도 없고, 혹여나 보복을 당하지 않을까 두려워할 필요도 없었다. 혼자만의 시간이 대폭 늘어나면서 조용히 생각을 가질 기회는 많아졌지만, 아무래도 이것은 내가 생각했던 결말은 아니었다.

연회장에서 로즈 씨, 서리 씨와 함께 남부러울 것 없이 행복한 인생을 살자며 노래를 부른 기억이 홀연히 떠올랐다. 로즈 씨가 살아있다면 면회라도 왔을까? 서리 씨가 살아있다면 지금 어떻게 살고 있을까?

좋은 결말이길 바랐건만, 나는 끝까지 행복하지 못했다.

「얼음새꽃 : '슬픈 추억'이라는 꽃말을 가지고 있다. 하지만 그것과 반대로 얼어붙은 차가운 얼음을 뚫고 혼자 꽃망울을 피우며 고개를 내미는 모습은 힘들고 열악한 상황 속에서 햇빛을 보려 애를 쓰는 모습을 연상케 한다.」

침대에 사뿐히 누워 손에 닿는 책을 집어 들고 펼친 후 읽어 내려가기 시작했다. 그곳에서 얼음새꽃에 대한 글을 읽게 되었고, 덕분에 로즈 씨가 다시금 생각이 났다. 그동안의 정이 있고 함께한 시간이 있는데 어떻게 잊을 수가 있겠는가.

아도니스의 바텐더는 분명 얼음새꽃의 꽃말이 '영원한 행복'이라고 알려주었다. 분명 그때는 얼음새꽃이 마냥 예쁘기만 했다. 이젠 그저 이곳에서 내가 출소할 날을 기다릴 뿐. 특별한 것을 기대하면 안 된다는 것은 이미 뼛속까지 깨달았다.

침대에서 일어나 책상 앞에 앉았다. 더 이상의 앞날은 없겠지만 내게 남은 짧은 시간에서의 발전을 위해 펜을 들었다. 그리고 예전처럼 일기를 써 내려갔다. 펜이 양피지 위를 긁으며 잉크를 묻혔다.

…기대하지는 않겠지만 누구든지 나를 잊지 않고 찾아와 준다 거나 편지라도 보낸다면 그것을 '기적'이라고 생각하기로 했다.

서글픔으로 가득 차서는 사라지지도 않았던 그 수수한 향기가 이젠 짙은 허망의 잔향이 되어 몸에 배었다.

그렇게 오늘도 후회와 슬픔을 한가득 삼킨 채 잠에 빠진다.

1887년, 내겐 뜨거우면서 차가웠던 여느 가을.

그러나 정신없이 달려온 희고 흰 길 위에서 있었던 모든 일이 악몽이었다.

시월 밤하늘의 달은 마을을 향해 은은하게 온기를 내뱉고 있었다. 골목길의 잿빛 어두움을 쫓아내며 이곳까지 팔을 뻗으려는 달빛은 끝내 수감자들에게 등을 돌리고, 지면을 밝히는 사람들의 빛은 눈이 아프도록 눈부셨다.

나는 또렷이 보이는 달을 보며 나지막이 중얼거렸다. 하나 이것은 이미 거짓임을 알고 있는 나의 마지막 기대였다. 굳이 큰 의미는 부여하지 않았다.

"다음 생은 모든 것이 잘 될 거야. 그래, 다음 생은."

「…별은 저렇게나 작은데 어떻게 깜깜한 밤하늘 속에서 보일까?

별은 작지만 항상 빛을 내죠. 그러니 어두컴컴한 밤에 더 잘 보이는 것이에요. 밝게 빛나는 건 너무나 어두워 앞이 보이지 않을수록 비로소 가치를 얻게 되니까요. 작지만 빛나는 저 별처럼 말이에요.…」

교도소에서 복역 중일 때 읽었던 소설, <아름답다는 시선>의 내용 중 일부였다.

문학의 거장이라 불리는 피에르 록시 작가의 소설 중에서도 과연 명작이라 불리던 작품으로, 집에 있던 수필집과 동일한 작가라 한번 읽어봤는데 수많은 시간이 흐른 지금은 저 부분 빼곤 기억이 잘 안 난다.

참고로 위 문단은 실감 나는 묘사를 곁들여 현실적인 범죄소설을 주로 쓰던 피에르 작가의 글 중 유일무이하게 독자들에게 힘을 실어주는 문단이었다. 자극적이고 암울한 글만 읽던 그의 열렬 팬들에게 잠시나마의 마음의 안정을 선물해주는 장면으로 나름 유명한 문단이었다.

3년이 통째로 지워졌다. 3년이라는 징역 생활은 허무할 정도로 아무 일 없이 흘러갔다. 어쩌면 내 인생에서 없어도 됐을 정도로 아무 일도 없었던, 의미 없고 심심한 시간이었다. 22년 형을 빈은 나였지만. 수감 이후 진행된 조사에서 정말로 호세와 코번트리 백작의 투신임이 드러나 곧바로 풀려나게 되었다.

금발머리 사건은 추가 목격자가 없고 이미 그녀가 자살한 것으로 사건이 종료되었기 때문에 그것에 대한 벌은 받지 않았지만, 때문에 누명을 쓰고 징역을 산 것에 대한 보상금 12만 5천 파운드는 청구하지 않았다.

근 3년간 혼자 지내며 더 이상은 실수로라도 다른 사람에게 해를 끼치지 않으리라 다짐했다. 그냥 평범하게, 아주 평범하게 살다죽는 것이 뭐가 어려우랴. 더 이상 삶에 문제로 골치 아파지면 더 이상은 감당할 수 없을 듯했다.

그간 여러 책들을 읽었다. 교도관이 매일같이 갖다 주는 잡지는 모든 재소자들이 읽기엔 부족했지만 인기 있는 상품은 아니었던지라 부족해서 못 읽는 날은 귀찮아서 안 읽은 날을 제외하면 하루도 없었다.

그간 읽었던 수많은 잡지 중 기억에 남는 잡지라 함은 단연 이것이다.

「'기억 환각장애 : 정신병의 한 질환으로 과거에 경험한 어떠한 기억이 환각으로 보이는 현상인 '기억 환각'을 반복하여 경험하는 장애.'

최근 의학계에서 뜨겁게 화제가 되고 있는 새로운 증상이 발견되었다. '기억 환각'이라는 이름을 가진 이 증상은 환각 중에서도 자신이 겪은 경험 등이 눈앞에 환각으로 펼쳐진다는 특이점으로 순식간에 전문가들의 이목을 끌었다. 기억 환각을 반복하여 경험하는 것을 기억 환각장애라고 부른다. 누구에게나 강렬한 기억은 있다. 행복한 기억일지 불행한 기억일지는 사람마다 다르겠지만 '과거의 기억'하면 가장 먼저 떠오르는 것이 자신의 가장 강렬한 기억일 것이다. 그랬던 과거가 눈앞에 환각으로 나타나는 기억 환각은 그 기억이 자신에게 어떤 의미가 되느냐에 따라 사람마다 받아들여지는 정도가 다르다.」

1890년 12월 10일 오전.

교도소를 나오니 수많은 기자들과 사람들이 모여 있었다. 누명을 쓴 채 오랜 시간 복역하다가 끝내 무죄를 인정받고 출소하는 나를 보러 모여든 것이었다. 때문에 안 그래도 좁았던 거리는 더 좁게 느껴져 한겨울에도 후덥지근했다.

그 사람들은 내게 격려와 환호를 보내왔다. 어떤 이는 내게 미안하다며 사과를 했고, 재판 당시 나를 경멸 가득한 눈빛으로 보던 사람들은 내게 꽃을 뿌렸다. 그들은 유감을 표했으나, 그 눈동자에서 여론에 휘말리며 느끼는 불안함과 거짓된 위선이 비쳐보였다.

하지만 내겐 알려지지 않은 죄가 있었기에 그들의 시선조차 부담스럽고 마음에 걸렸다. 이런 대우를 받아도 되는지 싶고 마음이 불편했다.

물론 자수할 생각은 눈곱만큼도 없었다. 이미 사건까지 종료되었고, 나를 대신해 누명을 쓰고 있는 사람도 없었다. 사서 하는 고생일 뿐이었다.

집에 오니 옛날 생각이 들었다. 역시나 먼지는 수북하게 쌓여 있었다. 낡아서 떨어지기 일보직전인 주문함에는 그동안 내가 수감되어 있었는지도 모르던 사람들의 주문서와 주문을 받지 않는다는 이유의 항의서가 몇 장 쌓여있었다. 3년간 손대지 않은 신문은 날

짜를 보니 내가 복역한 날 이후로 약 15일간 계속 오다가 그 뒤로는 오지 않은 듯했다.

서늘한 바람만이 한기를 몰고 와 거리를 산켰다. 미치 페기같이 방치되어 버린 집을 뒤로하고 발프 병원으로 향했다. 3년간 다니지 않은 길이었지만 몸이 기억하고 있어서 곧바로 도착할 수 있었다.

하지만 발걸음 하나하나가 낯설어 오는 내내 다리가 떨리는 것은 어쩔 수 없었다. 발프 병원은 그새 시설 대부분을 개선해 둔 모양이었는데, 병원 뒤쪽 싸늘하게 남겨진 호세의 자리는 여전히 그대로였다.

나는 호세의 자리에 쌓여있는 먼지를 대충 털어내고 사뿐히 앉았다. 해를 등지고 있어 햇빛이 전혀 들어오지 않고 차가운 칼바람만이 스쳐 지나가는 이곳은 너무나 추웠다.

호세는 지금까지 버려진 신문을 주워 자리에 깔거나 이불로 삼은 모양이었다. 소복이 쌓인 신문더미에는 그가 살아있던 1887년 10월 자까지의 신문도 보였지만, 그 뒤로 나온 신문은 찾을 수 없었다.

나는 그가 깔아 둔 신문을 움켜잡고 살짝 들어 올렸다. 비도 맞지 않고 그대로 보존된 옛날 신문들은 몇 년이 지났지만 아직도 읽을 수 있을 정도였다.

차가운 바람에 코가 얼고, 귀가 얼고, 손이 얼고 있었지만, 나는 작은 호기심에 시작한 그 신문 읽기를 멈출 수 없었다.

복역 중이던 3년간 사회는 너무나 많은 것들이 바뀌어 있었고, 나는 이 신문으로나마 친숙한 과거를 엿볼 수 있었다.

[신문 기사 / 1887년 9월 23일 자]

「'킹스크로스 살인사건, 두 명 사망. 최고의 증기기관차 역 일부 봉쇄….'」

[신문기사 / 1887년 9월 27일 자]

「'킹스크로스 살인사건, 범인이 한 명 살해 후 그 자리에서 자살…. 사건 종료.'」

[신문기사 / 1887년 10월 3일 자]

「'지난 1일 열렸던 세인트 케이든 연회에서 테러 발생…. 총 두 명 사망….'」

[신문기사 / 1887년 10월 14일 자]

「'세인트 케이든 연회 테러범 '코번트리 에드윈 테오도르' 백작 도주…. 진술하지 않는 테러의 목적, 대체 왜?'」

신문의 대부분은 같은 세상에서 일어난 것이 맞는지 의문이 들만큼 생소했지만, 그레이스와 금발머리가 죽은 사건과 세인트 케이든 테러 등 아직도 내 마음을 움켜잡는 사건들도 몇 개 찾을 수 있었다.

신문에 박혀있는 바닐라 향 활자들은 세인트 케이든 궁전 연회 때 있던 독 탄 와인과 서리 씨를 죽인 총은 전부 코번트리 백작이 나를 죽이리고 시도했다는 짓이었다는 것이라고 명시하고 있었다. 몇십 줄은 되어 보이는 본문은 코번트리 백작은 곧바로 도주하여 지금 경찰이 쫓고 있다는 문장으로 끝을 맺었다.

호세가 이 신문을 읽은 후 나를 암살하는 데 실패하고 경찰에게서 도망친 코번트리 백작이 내게로 올 것을 직감하고 그날 내 집으로 왔을 것이라고 생각했다. 내 집으로 오는 길을 어떻게 알고 왔는지는 아직 모르겠다만.

[신문기사 / 1887년 6월 30일 자]
「런던에 위치한 발프 병원에서 약물중독으로 인한 피해자 발생…. 유력 용의자는 해당 수술치료를 담당한 의사 '그레이스 리디아 아나리스'….」

유독 눈길을 끄는 신문이었다. 6월 30일이라면 내 '기억의 날' 전. 발프 병원과 그레이스가 함께 나오는 신문기사였기에 나는 눈을 떼려야 뗄 수가 없었다. 눈을 커다랗게 뜨고 본문을 읽어 내려갔다.

「런던 발프가에 위치한 발프 병원에서 독성 약물에 중독으로 인한 피해자가 나왔다. 피해자는 50대 중반의 여성, 르노라 스칼렛 록시 부인. 그녀는 해당 병원에서 의사로 일하는 그레이스 리디아 아나리스 씨의 수술을 받은 후 약물 중독으로 하반신이 형체를 알아볼 수 없을 정도로 괴사 됐고, 온몸은 얼음장처럼 차가워져 현재는 지금까지도 생사를 오가는 식물인간이 된 상태다. 불행 중 다행으로 그녀의 의식만은 살아있으나, 담당의인 그레이스 씨가 직접 독성 약물을 과다 투여했다는 증거가 충분치 않아 그녀가 유죄를 선고받기에는 어려운 상태이다. 피해자의 남편, 피에르 아르튀르 록시 씨는 현장에서 이제 더 이상 대화를 할 수 없는 아내를 끌어안고 서럽게 오열하여 보고 있던 많은 이들이 눈물을 흘리게 만들었다. 록시 부부에게는 자녀가 없기에 피에르 씨의 외롭고 쓸쓸한 미래가 걱정되는 바이다.」

신문을 읽는 동안은 입을 다물 수가 없었다. 나는 호세가 깔아둔 신문들을 뒤져 그다음으로 이어지는 내용의 기사를 찾았다.

[신문기사 / 1887년 7월 4일 자]
「그레이스, "약물을 투여한 것은 본인이 아니다." 주장…. 제삼자의 개입 가능성 제기.

발프 병원 약물과다투여 사건의 범인이 좀처럼 풀리지 않는 듯하다. 가장 유력한 용의자였던 그레이스 씨는 법정에서 "본인은 약물을 과다투여 한 바가 없다"라고 주장했고, 르노라 부인의 저택에서 발견된 다른 이의 발자국, 주인을 알 수 없는 수상한 지문 등으로 그녀가 누군가에게 독살을 당하고 병원으로 실려 왔을 수 있다는 가능성을 제기했다. 또한 본 재판에 르노라 부인의 남편인 피에르 씨가 참석하지 않고, 그녀의 동생 버디 부인이 대신 참석하여 많은 이들이 피에르 씨의 행방을 걱정하고 있다.」

1887년 7월 4일이라면 '기억의 날' 3개월 전이었다. 신문 본문 아래 첨부 된 작은 두 장의 흑백사진에는 록시 부부의 얼굴이 각각 새겨져 있었다.

록시 부인은 초점을 맞추지 못하고 반병신이 되어서는 누워서 천장만 멍하니 바라보고 있었고, 피에르 씨의 사진은 옛날에 찍어

둔 것 같아 보이는 그의 깔끔한 사진이었다. 날카로운 눈매와 매력적인 콧수염, 50대 중반 같아 보이지 않은 젊은 헤어스타일을 가진 모습이었다.

나는 그가 감옥살이 중 읽었던 소설, <아름답다는 시선>과 '기억의 날'에서 눈을 뜬 후 가장 처음으로 읽었던 수필, <흑백기억>의 저자임을 단번에 알아챘다.

햇빛 한 점 들지 않았던 호세의 자리에는 해가 자리를 옮기면서 슬슬 밝아지기 시작했다. 온몸을 얼어붙게 하는 바람은 여전히 차가웠지만.

집으로 다시 돌아오니 아깐 보이지 않던 것들이 보이기 시작했다. 단순히 방치되어 지저분한 줄 알았던 거실에는 누군가 무언가를 마구 뒤지고 간 흔적이 있었다. 알 수 없는 악취 또한 가득했다. 곧바로 모든 창문을 활짝 열어 환기를 시켰다.

코를 틀어막고 냉장고를 열어보니 음식들은 썩을 대로 썩어 형체를 알아볼 수 없게 되어있었다.

긴 시간 동안 아무도 손대지 않아 집안 꼴이 말이 아니었다. 먼지를 한없이 들이마시며 집을 청소하는 그 시간에도 그레이스 사건, 연회장 사건 등 짧지만 굵었던 기억들이 머리에 스쳐 지나갔다. 벌써 몇 년 전 일. 단 며칠 동안 순식간에 지나간 일이었지만 그것이 내 마음에 남겨둔 미련은 대단히 컸다.

또한 그때는 질리도록 보였던 장발도 보지 못한 지가 3년이 되어갔다. 교도소에 있을 때 한 번도 보이지 않으니 내가 기억 환각장애가 사라졌다고 생각했다.

하지만 그것은 내 기억이 환각으로 보이는 증상이라 희미하고 오래된 기억 하나가 잊히고 있다는 뜻이기도 했다.

지금까지 장발과 동거하고 있다고 생각했는데 실은 나 혼자서 환각과 같이 살았다는 것이 생각보다 충격적이었단 걸 이제야 느꼈다.

낡아빠져 군데군데 가죽이 벗겨진 작은 소파를 들어 올려 그 아래 쌓여있는 먼지를 털어낼 때 뜻밖의 물건을 발견했다. 작은 목에 거는 이름표가 짤랑거리는 소리를 내며 빗자루 끝에 걸린 것이었다. 루시의 이름표였다.

3년간 밥 한번 준 적 없으니 루시는 죽었을 가능성이 컸으니 괜히 미안한 마음에 이름표만 만지작거릴 뿐이었다. 가엾은 그 하얀 고양이는 주인을 잘못 만난 것이었다.

달칵 달칵 달칵…

예상치 못한 소리가 정적을 깼다. 노크도 아닌, 누군가가 현관문을 억지로 열려고 시도하는 소리였다.

갑작스러운 상황에 심장이 벌렁거렸고, 도망을 가거나 문을 틀어막아야 하는 상황에서 발은 떨어지지 않았다. 순간 판단력은 흐려졌고, 눈앞은 새하얘졌다.

곧이어 문이 큰소리를 내며 벌컥 열리고 내 집으로 들어온 것은… 전과 달라진 것이 없는 코번트리 백작이었다. 그는 3년 전과 똑같은 흉기를 들고 내게 달려들었고, 나는 비명을 지르며 그와 함께 뒤로 나자빠졌다.

그는 섬뜩한 특유의 눈을 부릅뜬 표정을 지으며 칼로 나를 죽이려고 들었고, 나는 온 힘을 다해 저항했지만, 이번에는 그가 힘이 더 셌다. 죽은 그가 어떻게 다시 찾아와 이러고 있는지 생각해

볼 시간도 없었다. 결국 힘겨루기 패배의 대가로 그의 칼이 가슴 한가운데로 천천히 파고들어와 심장을 찔렀고, 그 순간 거친 심호흡과 함께 정신을 차려보니 코번트리 백작은 온데간데없이 사라져 있었다.

심장은 어느 때보다 빠르게 뛰었고, 모든 것을 이해할 수 없었다. 어안이 벙벙해진 채 식탁을 짚고 몸을 가누었다. 다행히 난 무사했고, 너무나 생생했던 환각에 현기증과 식은땀이 났다.

현관문은 활짝 열려있었다. 그리로 찬바람이 들어왔다. 문을 닫으러 현관으로 다가갔다. 현관문을 닫은 뒤엔, 벽난로를 켤 생각이었다. 하지만 이번엔 금발머리였다. 그녀는 갑자기 나타나 문을 닫지 못하게 손으로 잡은 후 그 틈새로 내게 총을 겨눴다. 난 그녀와 눈을 마주치고 그녀가 무엇을 쥐고 있는지를 확인하자마자 그대로 얼어버렸다.

탕!

피할 틈도 없이 총알은 내 가슴을 뚫고 명중했으며, 그대로 몸의 중심을 잃고 다시 뒤로 자빠졌다. 그러나 이번에도 정신을 차려보니 상처 하나 없이 멀쩡했다. 금발머리는 온데간데없이 사라졌다.

역시 순간적인 환각이었다. 하지만 너무나 생생했고 무서웠다. 또한 이 환각증세는 잊고 있었던 악몽 같은 과거들과 아직까지 나를 노리고 있을 흑향기의 존재를 상기시켜 줬다.

그 뒤로 내가 심신의 안정을 되찾기까지는 꽤나 오랜 시간이 필요했다. 방금 그 상황을 이해하는데 에너지를 쓰기보다는 뒤로하고 몸의 휴식을 취하는 것이 우선이라고 생각했다. 그 뒤로 며칠간은 생활을 재정비하는데 바빴다.

*

며칠 밤을 외로이 보낸 어느 날의 아주 고요한 밤. 그날따라 바람은 평소보다 덜 차가웠다. 시계를 만들거나 고쳐 파는 일도 제대로 되지 않아 생활고에 시달리던 중, 작은 지네 한 마리가 거실 바닥을 기어 다니는 것이 눈에 들어왔다. 그것을 발로 밟아 죽이려 하자 지네는 얇고 많은 다리를 빠르게 굴러 거실 한가운데에 있는 카펫이 울어 생긴 틈으로 들어갔다. 나는 곧바로 카펫을 들어내고 막무가내로 지네를 밟아댔다. 지네는 빨라봤자 지네였다. 단번에 초라하게 죽어버렸다.

나는 지네를 핀셋으로 잡아 올려 밖으로 버렸지만, 지네의 몸이 여러 조각으로 부서졌는데, 작고 가늘어 잘 잡히지 않아 핀셋을 몇 번 사용하다가 그냥 손으로 쓸어 모아 한 번에 밖으로 내다 버렸다.

그때, 난 내 두 눈을 의심했다. 우연히도 저 너머 거리에 북적이는 사람들 속에서 머리를 말아 올린 어느 여자를 보게 되었는데, 그녀는 모습이 3년 전과는 많이 변하긴 했어도 저건…,

…로즈 씨?

밖은 생각보다 쌀쌀했다.
난 뛰어대는 가슴을 붙잡고 그렇게 곧장 그녀의 뒤를 밟았다.

그런데 멀리서 보기에 그 형체가 흐릿한 게 로즈 씨가 아닌 것 같기도 한 것 같다는 생각도 들었다. 워낙 비슷한 사람이 많은 흔한 얼굴이라고 한다면 그런 얼굴이었으니까.

로즈 씨는 상점에서 알 수 없는 물건을 구입한 후 내게서 먼 방향으로 유유히 향했다. 살같이 얼어붙는 추위 속에서 두꺼운 가죽 코트를 둘렀지만 여전히 추워 몸이 바들바들 떨리고, 걱정 섞인 한숨이 나올 때마다 입김은 선명했다.

얼마나 걸었을까, 발끝이 저려오고 귀 끝 감각이 사라질 즈음, 로즈 씨는 주위를 두리번거리더니 요란한 소리를 내며 덜컹거리는 전철에 올라탔다. 전철까지 쫓아갈 필요까진 없다고 생각한 나는 그 자리에서 다시 뒤로 돌아섰다.

괜한 고생이었다. 사실 로즈 씨를 미행했던 것은 그녀와 대면하여 이야기라도 나누려고 한 것은 아니었지만, 나조차도 그 뚜렷한 이유는 알 수 없었다.

그저 정말 로즈 씨가 맞는지 확인하고 싶었던 것 같았다. 아무래도 예전에 함께한 시간이 있다 보니 여운이 남았던 것은 아닐까.

아무리 생각해도 로즈 씨를 본 것은 착각일 가능성이 컸다. 이미 죽은 것이라면 여기에 다시 올 이유가 없었다. 허탈했다. 다시 환각을 본 듯했다. 그래, 로즈 씨였을 리가 없지. 이미 죽었잖아.

이제는 모든 것을 의심해야 하는 것일까. 몸은 다 자랐는데 기억은 고작 3년짜리인 인생의 서두니 보고 듣는 모든 것이 강렬하게 남아있는 셈이었다. 그마저도 일반인은 잘 겪지 못할 사건들을 연달아 겪었다보니 질 좋은 기억이 많을수록 점수가 높다고 한다면 나는 높아봐야 10점 중 2점인 것이었다.

그녀만 쫓아 걸어온 길에서 마지막 전철이 떠나자 마술처럼 거리에는 사람들이 확 줄었고, 나는 밟아오던 쓸쓸한 길을 다시 되돌아갔다.

그래도 지금 생각해 보면 그렇게 허전할 것도 아닌데, 3년 전에는 뭐가 그리 외로웠는지 그렇게 우울함에 빠져있었을까.

이제 마음의 정리를 모두 마쳤다는 뜻일 수도 있었다. 아니면 그 우울함에 적응했거나.

흰 눈은 쉬지 않고 계속 내렸고, 사람들은 곧 다가올 크리스마스를 기념하기 위해 거리를 꾸미느라 분주해 보였다.

도로 가장자리에 자리를 잡고 장사하는 수많은 상인들은 저마다 작은 난로를 하나씩 두고 따뜻한 열기를 쬐고 있었다. 추위 속에 그 몽글몽글한 분위기와 타닥타닥 타들어가는 모닥불소리는 나를 끌어들였지만, 괜히 잠깐 불을 쬐려 다가갔다가 도리어 그 집 상인에게 쓴소리만 듣고 나올 게 뻔했다.

그렇다고 물품을 사자니, 여전히 생활고에 시달리는 내 처지에 맞지 않는 선택이었다. 빨리 집으로 돌아가라는 정답밖에 없는 것이 각박하기만 했다.

*

「…1832년 2월 24일, 내가 세상에 나온 날이다. 런던에 위치한 외딴 주택에서 약 15년을 보냈다. 입구에는 두 마리의 사자 석상이 우리를 지켜주고 있었고, 마당으로 들어서면 멋진 말 석상이 가운데에 위치한 분수대가 눈에 가장 먼저 들어왔는데, 거기서 흐르는 물은 정말이지 맑고 투명했다.…」

순간 글이 머리에 스쳐 지나갔다. 두 마리의 사자 석상, 저 멀리 보이는 커다란 분수대. 기억을 더듬을수록 지금 내 앞에 있는 이 집은…, 피에르 씨의 생가가 틀림없었다.

다른 기억들이 없어서일까, 전부터 나는 기억력 하나는 정말 좋다고 생각해 왔고, 방금 그것을 다시 한번 재차 느꼈다. 분수대 한가운데에 있어야 할 말 석상은 그대로 쓰러져 마른 바닥에 처박혀 있었고, 활짝 열려있는 녹슨 대문은 이 주택 전체에 왠지 모를 음산한 분위기를 느낄 수 있게 했기에 이 집은 단번에 버려졌다는 것을 알 수 있었다.

정원을 다채롭게 꾸며야 할 잔디와 나무는 이미 오랫동안 정원사의 손길이 닿지 않았다고 말해주는 듯했다.

3여 분 전이었다. 사람들의 발길이 전혀 닿지 않아 깨끗하고 하얗게 깔린 눈 위에 발자국은커녕 조금의 흔적조차 보이지 않는 샛길이 있었다.

나는 곧 알 수 없는 모험심과 특유의 신비한 분위기에 못 이겨 깊이 들어갈수록 휑하고 조용하고 스산한 그 길을 따라 걸어 들어갔다. 주변은 도시에서 점차 숲으로 변해갔다만, 오래된 다리, 부식되고 바닥에 쓰러진 채 눈을 덮은 속이 빈 통나무 등 사람이 살던 흔적은 보였다. 그리고 마지막으로 길 끝에 있는 커다란 호두나무를 끼고 도니 그 저택이 눈에 들어온 것이다.

아담한 벽돌집은 이미 한쪽 면을 채우는 벽이 통째로 무너져, 작은 산새들의 집이 되어있었다. 나는 이 집에서 세월의 흔적을 엿보았다.

그것은 집안으로 들어가 보니 더 심했는데, 말라비틀어져 밑바닥이 드러난 분수대를 지나 길을 따라 문짝이 뜯어진 대문을 통해 마당으로 들어서자 흙과 먼지가 바닥에 소복이 쌓여있었다. 이곳은 이미 사람의 발길이 끊기고 버려진 지 오래였다.

오랜만에 신선하고 유익한 구경 한번 했다고 생각하기로 했다. 이 집에서 살 사람을 한 명 골라야 한다면, 나는 주저하지 않고 장발을 고를 것이다. 밤이 되고 깜깜해질 이 폐가에 무서운 귀신이 나타난다면 그건 장발의 모습과 똑 닮았을 테니까.

무거운 발걸음을 옮겨 조용히 집안으로 들어섰다. 외벽의 일부가 무너져 내린 탓에 저물어가는 햇빛과 겨울의 바람이 전부 집안으로 들어왔다. 이미 허전하고 초라한 폐가인데, 하물며 그곳에 있는 나는 스스로가 더욱 초라해질 뿐이었다.

폐가 안에는 예상했던 대로 특별히 눈에 띄는 것은 없었다. 이미 나 말고 누군가가 이곳에 있다는 것을 말해주듯이 아직도 온기가 남아있는 사람의 흔적을 제외한다면.

낡은 선반 위에 고이 놓인 양은주전자에는 한겨울에 바깥바람을 그대로 맞고 있었다는 것이 말이 안 될 정도로 따뜻한 차가 가득 담겨있었다.

발밑에서 삐걱거리는 소리가 들렸다. 어둠 속에서 내게 점점 가까워지는 발소리의 주인공은 지하로 연결되는 계단에서 천천히 올라오며 이윽고 모습을 드러내더니 내게 다가왔다.

그가 모습을 드러낸 순간부터 내가 그의 정체를 판단할 순간까지 나는 생각했다. 제발 위험한 사람이 아니길.

"음? 당신은?"

"빈트 씨?"

"연회 때 봤던 그 분이시군요?"

이런 누추한 곳에서 갑자기 튀어나온 빈트 씨에게는 자유로운 예술가의 분위기가 물씬 풍겼다.

"다시 만날 줄은 몰랐네요. 반가워요," 그는 다시 만남 나른 수상할 정도로 격하게 환영해 주었다. "이건 로즈힙 티예요. 잔뜩 긴장한 몸을 풀어줄 거예요."

빈트 씨는 선반 서랍에서 찻잔을 꺼내어 양은주전자를 기울였다. 어두워서 색을 잘 알 수 없는 액체가 졸졸 흘러내려 찻잔을 서서히 채워냈다.

"받아요."

마지못해 그가 건네는 차를 받기는 했지만 난 차마 그것을 마시지 못하고 머뭇거렸다.

"들었어요. 그 연회 날 있었던 일. 저는 테러가 있기 전에 쫓겨나서 얼마나 다행이었는지 몰라요. 하늘이 도운 거죠." 빈트 씨는 자신의 찻잔을 하나 더 꺼내어 똑같은 차를 마셔 보이고는 차가 안전하다는 것을 보여줬다.

"그쪽을 의심하는 게 아닙니다. 그냥 좀 지쳐서요."

"충분히 이해합니다. 무사해서 다행이죠. 죽은 사람도 있다더라고요."

잠시 정적이 흐르고 빈트 씨가 입을 열었다.

"…그러고 보니 이름을 안 물어봤네요."

"아, 다니엘입니다."

빈트 씨는 정원으로 나가 나무장작을 모아서는 모닥불을 피웠다. 그의 주머니에서 꺼낸 성냥에서 피어오른 작은 불꽃은 어느새 나무장작 위에서 그 크기가 점점 커지더니 활활 타올랐다. 그 모습을 집 안에서 지켜보던 나는 불 주변으로 다가갔다. 단번에 느껴지는 따뜻함이 몸을 녹였다.

근처에는 바닥에 처박혀있는 말 석상이 있었는데, 빈트 씨는 주저하지 않고 그것을 의자 삼아 목 위에 앉았다. 나도 주변에 있는 바위 중 최대한 평평한 것을 찾고서는 불 근처까지 옮겼다.

"도울까요?"

빈트 씨는 곧장 일어나 바위를 옮기느라 끙끙대는 나를 도왔다. 덕분에 곧 우리 둘 다 불 주변에 앉아 쉴 수 있었다.

"어차피 버려진 집이라서 괜찮아요. 건물 외벽이 저렇게 무너졌는데 그게 버려진 집이죠."

빈트 씨는 이렇게 말하고는 집 내부로 들어가 짐들이 쌓여있는 곳에서 작은 백파이프를 꺼내 들고 나왔다. 집 한쪽 구석에 잔뜩 쌓여있는 저 짐들은 전부 빈트 씨의 짐이었다.

"이거 본 적 있어요?"

"백파이프요?"

"맞아요. 연주하는 법 알아요?"

"아뇨."

"들어봐요."

그는 바로 백파이프를 불기 시작했고, 중간중간 입을 떼고 노래까지 곁들였다.

죽음의 전염병이 유럽을 강타한 그 시절

(그는 다시 백파이프를 입에 물고 아름다운 선율을 연주했다.)

에드워드 첸 그는 세상을 구원했소

(백파이프 소리는 처음 들었지만, 마치 거대한 현악기에서 나는 것 같은 소리가 울려 퍼졌다.)

사람들을 모아 하나의 집단을 이루고

(백파이프 소리는 생각보다 컸지만 그래도 들을만했다. 숲 속에서 야생동물이 소리를 듣고 모여들까 걱정되긴 했지만.)

괴질을 불러들인 악인들을 벌하였노라

(빈드 씨는 노래 한 소설을 부르고 백파이프를 연주하는 것을 반복해 나갔다.)

신이 노하셨으니 죗값을 치르리라

(백파이프 연주소리는 타닥타닥 타올라가는 모닥불과 함께 화음이 되었다.)

그 뒤로 영국은 깨끗해지고 그를 칭송했으리라

(그는 마무리로 현란한 선율을 막힘없이 연주했다.)

"이런 취향이신가 봐요."

"제가 만든 곡인데요, 어디서 본 글 내용을 바탕으로 거예요."

"글이요?"

그는 주머니에서 꼬깃꼬깃 작고 낡은 종이를 꺼내 들었다. 몇 번 접힌 종이를 펴자 몇 줄의 글이 있었다.

"이게 내용이에요?"

"네, 맞아요. 제 노래는 대부분 실제사건에서 얻은 영감으로 만들어진 편이에요."

나는 그 종이를 받아 들고 모닥불에서 나오는 은은한 빛에 의지해 글을 천천히 읽어 내려갔다.

「17세기의 런던. 발열, 두통, 오한 등으로 인해 몇 날 며칠을 앓는 환자들이 넘쳐나면서 모든 병원의 자리는 꽉 차게 되었다. 병균에 너무나 취약했던 당시 위생상태로는 페스트균이 판을 치기에 매우 적합한 환경이었다.

상황은 날로 나빠져 일주일에 7천 명의 사망자가 나오기 시작했으며, 남녀노소 가릴 것 없이 담배를 피워대게 한 '런던 대역병

(1665~1666)'속에서 나타난 의문의 혁명가, 에드워드 첸과 그를 필두로 포교 된 '흑향기'는 일종의 구원자집단이자 그들이 유일하게 의지할 수 있었던 종교였다. 오직 그들에게만.

그들은 사람들을 무자비하게 죽이고 다녔으며, 그에 대한 핑계는 항상 같았다.

'흑사병은 신의 형벌이다.'

흑사병에 걸렸다는 것은 신의 형벌을 받았다는 것을 의미한다고 주장하는 사이비종교, '흑향기'의 신도들이 하나의 상징처럼 입고 다닌 역병의사의 옷차림은 어느새 강도의 상징으로 변질되어 버렸고, 그중에서도 특히 그 기괴한 까마귀 가면은 사람들에게 공포심을 심어주기에 충분했다.

그러나 그 옷차림이 강도가 아닌 구원자의 옷차림으로 바뀌는 경우가 있었다. 바로 흑향기에 조직되는 것. 이제는 이웃집 주민이 죽어도 흑사병 때문인지, 자칭 '고트 라프' 신의 심판을 받은 것인지 알 수조차 없었으며, 그들에게 죽지 않으려면 흑향기에 조직되어야 했기에 종교의 규모는 삽시간에 걷잡을 수 없이 커져버렸다.

17세기, 영국 시민들을 공포에 떨게 한 런던 대역병은, 3세기 전인 14세기 중세 흑사병에서 이어지는 2차 범유행이라 볼 수 있었으며, 흑향기 종교는 그들의 살고 싶은 욕망과 현실에서 도피하고 싶은 두려움이 자발적으로 만들어낸 3차 대란이었다.

이후 흑향기는 분열되어 영국의 여러 지역으로 퍼지며 대부분 소멸되었다.

살아남기 위해 구축된 집단이라 되레 내부에서도 죽고 죽이는 일은 흔했으며, 마지막까지 남은 사람들은 수장을 세우고, 아직까지도 어떠한 형태의 악상일지라도 신이 내린 형벌이라 믿는다고….

흑향기에 세뇌되지 않은 사람들은 한산 세 기지 규칙을 중요시하며 그들로부터 숨어 다녔다.

첫째, 그들의 활동시간엔 절대 집밖으로 나가지 말 것(그들의 주된 활동시간은 자정이 넘은 심야였지만 만약 점심을 먹으러 가던 길에 그들을 마주쳤다면 당신이 위 사항을 지키지 않은 것이다.).

둘째, 흑향기 신도와 마주치면 신의 뜻을 반했다는 죄목으로 말미암아 재판받지 않도록 각별히 주의할 것(만약 당신이 그들로 인해 배가 찢어지거나 목이 잘려나갔다면 당신이 위 사항을 지키지 않은 것이다.).

셋째, 그들의 주된 접선장소나 주거지역에 절대 발을 들이지 말 것(그들의 주된 접선장소는 밝혀진 바가 없지만 만약 그들이 당신네 화장실에 침입했다면 당신이 위 사항을 지키지 않은 것이다.).」

"저도 알아요. 그 집단이 좋은 집단은 아니란 걸. 미화할 의도는 없었지만 당시 사람들은 강제로 구원자집단이라 믿을 수밖에 없었을 것 같아서요. 적당히 당시상황에 이입을 좀…." 빈트 씨가 애써 웃으며 서둘러 말했다.

"흑향기?"

"…네. 집단 이름이 '흑향기'였대요."

"이들을 알고 계십니까?"

"알다마다요. 그 종이에 쓰여 있잖아요. 17세기 사이비종교. 아닌가요?"

그는 아무것도 모르는 어린아이처럼 호기심 많은 눈동자로 나와의 대화에 임했다.

"런던 출신이 아니신가요?"

"…왜요?"

순간 나도 모르게 너무 쏘아붙이고 있다는 것을 깨달았다. 그에게 상처를 주거나 무안하게 만들 의도는 없었다.

"아뇨, 죄송합니다. 흑향기가 지금도 있는 거 모르십니까?"

"흑향기가 지금도 있어요? 그 집단 몇 백 년은 더 됐을 텐데요."

"네. 지금도 있습니다. 보기보다 늙은 집단이었네요. 지금은 종교보단 범죄 집단이라 하는 게 더 정확할 겁니다."

"그 당시에도 그들은 범죄 집단이었는걸요."

그는 그 말을 듣고 나를 굉장히 심각한 얼굴로 바라보았다.

"런던 출신이 아닌 것 같은데요. 맞죠?"

"네 맞아요. 리버풀에서 자랐어요."

"리버풀이요?"

생전 처음 들어보는 지역이었다.

"네. 잉글랜드에 있는데 런던이랑 좀 멀어서요. 다니엘 씨가 모를 수도 있었겠네요."

"암튼 흑향기는 지금도 런던에서 활동하는 범죄 집단이거든요. 그들도 까마귀 가면을 쓰고 다니는데 그런 걸 보면 이때까지 이어진 것 같기도 해서요."

"아직도 사람을 죽이고 다닐까요?"

빈트 씨는 생각보다 순진했다. 범죄 집단이라니까.

"…네 죽여요."

그레이스와 서리 씨가 갑자기 생각이 났다. 둘 다 흑향기에 의해 세상을 떠났으니깐. 빈트 씨에게 차마 세인트 케이든 연회 테러 사건의 범인인 코번트리 백작이 흑향기와 밀접하게 관련되어 있었다고는 말을 안 했다. 그가 알아봤자 좋을 게 없으니까.

"고마워요. 조심할게요. 그래도 만나면 조금 재밌을 것 같기도 해요." 빈트 씨가 말했다.

빈트 씨가 한가하게 백파이프를 만지작거리며 내는 투박한 소음이 갈수록 잦아질 무렵에도 모닥불은 활활 타올랐다. 여기서 자면 여러모로 불편한 점이 많은 데다 멀지 않은 거리에 집이 있는데도 굳이 여기서 자고 가겠다고 발 뻗고 있는 내가 이해가 되지 않은 사람들도 많겠다. 하지만 내겐 숙면에 따르는 불편함을 전부 감수할 만큼 옆에 누군가가 있다는 사실이 큰 힘이 되어주었다. 오늘 만큼은 특별한 경험을 하려 했다.

"저는 죽음에 대한 생각을 많이 하곤 하죠. 죽음이 무서운 건 그 허무함에서 나오는 것 같아요." 빈트 씨가 피곤한지 자지 않으려 눈을 비비며 말했다. "살면서 쌓아 올린 탑이 전부 아무것도 아니게 되는 것. 그게 죽는 거죠."

고요하지만 동시에 심심하던 분위기를 깨는 대화의 시작이었다.

"그 탑이 없으면 죽어도 상관없이 되는 거겠죠." 내가 말을 이었다. "어차피 죽을 거 왜 태어났는지, 참. 괜히 태어나서 의미 없이 고생만 하고."

"연회장에서 만났던 그녀가 생각나네요. 모든 기억은 헛되다고 말했던 사람. 비슷한 맥락이었죠, 아마."

"서리 씨요?"

"맞아요. 아세요?"

"그때 옆에 같이 있었던…."

"아." 빈트 씨가 짧게 소리 냈다.

"서리 씨가 그랬죠. 추억은 회상한들 가치가 없다고. 저도 어느 정도 동의하는 편입니다. 죽으면 사라지기도 하고." 내가 말했다.

이미 지나간 일에 미련이 남아 어떻게든 꺼내어 다시 느끼고 싶은 것이 추억이지만 과거로 돌아갈 수 있다는 것도 아니고 그렇게 회상해 봤자 얻는 것도 없으니 아무리 봐도 추억이란 건 큰 의미가 없었다. 내게 실질적으로 도움이 되는 과거는 시계 만드는 법을 공부했던 3년 전의 나뿐이었다. 덕분에 생계를 유지하고 있으니까.

"그래요? 그래도 이 분위기에서 회상하는 것만큼 멋진 일은 없죠." 빈트 씨가 말했다. "전 5년 전 친구들과 물고기를 잡아 구워 먹던 날이 기억나요. 사소하지만 잊히지 않아요. 계곡물에서 물고기를 잡으려다 엉덩방아를 찧었는데 그 엉덩이로 물고기를 잡았었죠."

빈트 씨가 웃음 지었다.

"좋으세요?"

"행복하네요. 그런 것들이 바쁜 일상에서 움직일 수 있게 해주는 힘이 되는 것 같아요. 다니엘 씨는 어떤 일들이 있었나요?"

그의 질문을 듣고 곧바로 떠오르는 게 있었지만 쉽사리 입이 열리지 않았다. 내게 기억이라 함은 '기억의 날' 이후로 벌여졌던 힘들었던 날들뿐이었으니까. 그래도 그런 어두웠던 일상 속에서 로즈 씨와의 추억은 혼자 빛나고 있었다. 슬픔에 외면하고 그동안 잊고 살아왔지만, 그 기억들을 하나씩 꺼내보니 심장이 요동쳤다. 지금껏 현실에 찌들어 살지는 않았는가.

"그리움이 마음을 울리는 이유는 다시 돌아갈 수 없어서가 아닐까요." 내가 한숨을 쉬며 말했다.

"안타깝네요. 무슨 일이 있었는지 대강 알 것 같아요." 빈트 씨가 대꾸했다. "그렇다면 다니엘 씨를 위해 그 기억, 제가 사도록 할게요. 가치도 없고 행복도 없는 것을 제게 돈 받고 버린다고 생각하세요."

"기억을 산다고요?"

"맞아요. 제겐 그런 감정 또한 영감으로 다가오거든요. 얼마면 되겠습니까? 본가에 저금해 둔 돈이 많습니다." 그가 재촉했다. "물론 제게 파시면 그 기억은 당신께 아니게 되는 겁니다."

"무료로 팔죠."

힘든 기억들을 누군가에게 버리는 건 그렇게 이득이 아닐 수 없었다. 그래도 그런 기억들을 전부 떠안을 그에게 미안하니까 돈은 받지 않기로 했다.

"제 기억은 별거 없습니다. 오히려 이걸 정말 돈 받고 팔았다간 명치를 한 대 얻어맞을 지도 모르죠."

"사람이 죽는 것이 아무렇지도 않던가요?"

"처음에는, 저랑 아무 상관없으니 남 죽는 건 제 일이 아니었죠. 어차피 죽는 것이니까요."

"고마워요. 기억들이 전부 제게로 왔네요. 아하, 서비스도 있군요! 많은 것들을 이루어놓으셨네요." 그가 말했다.

기억이 실질적인 도움이 되지 않는 것은 맞다. 하지만 그 가치가 없지는 않은 듯하다. 결국엔 쌓아온 탑의 일부이고, 그렇게 완성된 나를 구성하는 조각이었구나. 그의 말을 듣자마자 바뀌어버린 생각은 내게 깨달음으로 다가왔다. 미래에 대한 기대도 없는 내가 살아가는 이유는 뭘까. 경험으로 인해 생성되는 행복과 그 성장에서 느껴지는 쾌락이 삶의 의지를 주로 이루고 있지는 않은가.

"빈트 씨, 무르실 생각 없습니까?"

"왜요? 부르는 게 값인 데다가 다니엘 씨에겐 가치도 없잖습니까."

"기억을 판다는 게 불가능하다는 것은 저도 압니다. 빈트 씨가 제게 무슨 말을 하려는지 알 것 같아요."

"과거를 그리워하는 이 순간도 훗날 그리워할 과거가 될 테니 지금을 즐기세요. 살아있는 순간순간을 기억하세요." 그가 순수하게 미소 지었다.

모닥불과 저녁노을은 빈트 씨와의 경험을 담는 상징으로 자리 매김 할 것 같았다. 그렇게 기억을 정리하는 시간이 계속되었다.

깜빡 잠들었나 보다. 오들오들 떨면서 눈을 떴을 때, 하늘은 여전히 어두웠다. 모닥불은 그대로 꺼져서 잿더미가 되어버린 장작에 작은 불씨가 드문드문 보일 뿐이었다. 바람은 여전히 차가웠고, 약간의 눈이 내렸다.

주머니에서 회중시계를 꺼내 시간을 확인했다. 시곗바늘은 오전 3시 정각을 향해 째깍째깍 움직이고 있었다.

"빈트 씨."

바닥에 널브러져 있는 말 석상의 목을 침대처럼 사용하며 곤히 자고 있던 빈트 씨는 두꺼운 옷을 이불 삼아 덮고 있었던 것인지 그렇게 추워 보이지 않았다. 나는 그런 그를 살살 흔들어 깨웠다.

"음…?"

그가 잠결에 늘어진 소리를 냈다. 나는 그가 확실하게 잠에서 깰 때까지 기다렸다.

"…"

그가 다시 잠들었다.

"빈트 씨."

"어어!"

순간 깜짝 놀라서 심장이 철렁 내려앉았다. 갑자기 비명을 지르며 잠에서 깨다니. 전혀 예상하지 못한 행동이었다. 그도 놀라서 잠에서 확 깬 건 마찬가지였나 보다.

"다니엘 씨? 왜요?"

"너무 추워서요. 혹시 덮을 거 가져오신 거 있으세요? 코트나 담요 같은 거라도."

"그런 건 없고 로즈힙 티 마실래요? 따뜻할 텐데. 조금 남았을 겁니다."

동의하자 빈트 씨는 무거운 눈꺼풀을 차마 올리지 못하고 비몽사몽 한 상태로 집안으로 들어갔다. 건물 외벽이 박살 나서 밖과 안이 바로 통했기 때문에 우리는 멀쩡한 현관문을 놔두고 벽이 부서진 곳을 통해 집안으로 들어갔다. 지금까지 계속 이래왔다. 이게 더 편하니까.

"어라, 다 식은 것 같아요. 덮을 건 없을 텐데…"

빈트 씨는 차갑게 식은 로즈힙 티가 들어있는 양은주전자를 조심스레 내려놓더니 짐을 쌓아둔 곳으로 몸을 돌렸다. 밖은 여전히 추웠다.

"추위를 잘 타시나 봐요?"

그가 짐을 뒤적이며 말을 걸었다. 확실히 아까보다 잠에서 깬 느낌이었다.

"그런가 봐요."

"더위는요?"

"모르겠어요."

이번에도 대답은 '모른다.'였다. 이제는 모른다는 말이 입에 붙은 것 같아 아는 것일지라도 나도 모르게 모른다고 대답할까 주의를 기울일 필요가 있을 것이라고 생각했다.

"미안해요. 덮을 게 없어요."

그렇게 말하고 빈트 씨는 터벅터벅 걸어가더니 다시 말 석상 위에 자리를 잡고 앉았다. 나는 그에게 미안해할 필요가 없다는 손짓을 하고 그를 따라 다시 꺼진 모닥불 앞으로 향했다.

"춥겠어요. 이 집에 덮을만한 게 있나 찾아봐요. 쓸 만한 게 있을지도 모르죠."

"그럴까요? 아니요, 빈트 씨는 앉아 계세요. 제가 찾을게요."

나를 도우려 자리에서 일어나는 그를 다시 앉히고 집으로 들어왔다. 어두웠지만 보일 건 다 보였다. 나는 이런 먼지 쌓인 집이 과거에는 얼마나 호화로웠을지 곳곳에 내가 상상하는 이미지를 대입하여 보았다.

어디까지나 상상이었지만 은은한 노란 조명이 가득한 샹들리에가 거실 한가운데에서 집 전체를 비추고 반짝거리는 금실과 은실로 장식한 고급스러운 가구들이 이곳저곳에 자리를 잡아 아늑한 집을 완성했다. 밤에는 겨우 촛농에 의지하여 생활하는 내 집과는 완전히 달랐다. 나는 세월의 풍파를 제대로 맞은 이 집을 넋 놓고 바라보느라 춥다는 사실을 잠시 잊었다.

빛이 비치지 않는 빙으로 들어가자 거대한 옷장의 실루엣이 보였다. 손잡이에는 푹신하다는 느낌이 들 정도로 먼지가 가득 쌓여 있었다. 나는 숨을 참고 먼지를 털어내고 옷장 문을 열었다.

재채기가 끊이지를 않았다. 잔뜩 날아다니는 먼지가 호흡기로 들어가지 않게 하려고 숨을 참았건만, 옷장 문을 확 열 때도 먼지가 한가득 날릴 것이라고는 미처 예상하지 못했다, 눈에 먼지가 들어가 눈물이 한없이 나오는 것은 덤이었다.

옷장엔 덮을만한 게 없다는 것을 깨닫고 이불이 가득한 이불장에 손을 뻗어 더듬거렸다. 사실 이 많은 이불 중 하나만 꺼내 쓰면 되지만 난 조금 더 두꺼운 이불을 찾으려고 손을 멈추지 않았다.

팔을 뻗어 깊숙이 넣을 때마다 팔에는 점점 먼지가 달라붙고 손톱 사이사이에는 무언가 자꾸 껴서 꽤나 불쾌했지만, 이윽고 맘에 드는 이불을 찾아냈다.

이불의 양 끝을 잡고 뒷마당으로 가져가 마구 털었다. 눈을 꼭 감고 숨을 참고 입을 다물고 찡그린 내 모습이 스스로 물벼락 맞는 어린아이 같아 웃기긴 했지만 이렇게 하지 않으면 눈이며 코며 입이며 먼지가 들어갈 대로 전부 들어가 매우 고생할 것을 알고 있었다. 물론 정전기 때문에 옷에는 먼지가 한없이 묻었지만, 그 대가로 극심한 추위에 따뜻함을 얻었으니 만족했다. 날이 밝으면 집에 가서 어느 때보다 열심히 옷을 빨 생각이었다.

툭

이불속에서 떨어져 나온 작고 오래된 나무상자가 발등 위로 떨어졌다. 처음 이불을 꺼낼 때, 이불은 예쁘게 개어져 있었는데 누군가가 이 그 속에 숨겨둔 상자가 나로 인해 떨어진 모양이었다.

가장 깊숙한 곳에 있던 두꺼운 이불속 나무상자. 벌써부터 끵

장히 귀중한 물건이 들어있을 것이라는 것을 직감했다.

<하이드> 원고
피에르 아르튀르 록시 지음

1853년 10월 16일
'죽음이 없는 세상을 보능 또 하나의 눈을 뜬 날.'

상자에는 수많은 종이가 쌓여있었는데, 그중 가장 위에 있는 종이에 적혀있던 글이었다. 보아하니 종이더미는 피에르 씨의 신작 소설원고였다. 순간 이게 뭔지 의아했지만, 이 집이 피에르 씨의 생가였다는 사실을 뒤늦게나마 깨달았다.

나름 간간이 피에르 씨의 소설을 읽어왔고, 에녹은 내가 그의 열성팬이었다는 사실까지 알려주었기에 바로 흥미가 가는 상황이었다. 그의 소설들 제목은 대부분 알고 있었지만 <하이드>라는 제목의 소설은 지금까지 본 적이 없었다. 이 소설은 무슨 이유인지 끝내 세상에 공개되지 못한 것이었다.

[…내게 더 이상 글쓰기는 노동이 아닌 삶의 낙이 되었고, 그 기세에 지금 또 신작소설을 쓰고 있다. 중세시대 끔찍했던 전염병인 '흑사병'을 소재로 한 소설인데, 하루빨리 완성하여 여러분들께 보여주고 싶을 뿐이다.

나는 지금 쓰는 중에 있는 이 소설 또한 여러분들이 좋아해줄 것임을 확신한다. 그것은 지금까지 그래왔고, 여러분들이 계속해서 꾸준한 응원을 보내주었기에 그런 확신이 가능한 것 아닐까

생각이 든다.…]

　그의 수필집, <흑백기억>에서 그의 신작에 대한 내용이 언급되었다는 사실을 기억해 냈다. 그가 여기서 말하는 이 신작소설이 이것일 확률이 컸다. <흑백기억>이 쓰인 시기가 사십 년 전인 1850년도이고, 이 원고 또한 오래도록 방치되어 세상에 공개되지 않았다는 게 그 근거였다.

　피에르 씨의 소설 중 중세 흑사병에 관련한 소설은 없었는데, 40년이 넘도록 완성하지 못했을 리가 만무했기에 어쩌면 특별한 이유로 그가 이 작품을 잊어버렸을 거라 짐작했다.

　하지만 그 밑에 따로 적힌 '1853년 10월 16일. 세상을 보능 또 하나의 눈을 뜬 날.'이라는 문구의 의미는 이해를 할 수 없었다. 나름 정성스럽게 반듯이 쓴 다른 문구와는 다르게 유일하게 서둘러 휘갈겨 쓴 필체였다. 또 급하게 썼다는 사실을 증명이라도 하듯이 '보는'을 '보능'으로 잘못 쓴 글자도 있었다. 때문에 아무리 보아도 부제 같아 보이는 문구는 아니었다.

　나는 먼지를 어느 정도 털어낸 이불을 두른 채로 곤히 자고 있는 빈트 씨 옆으로 다가갔다. 자리를 잡고 앉은 채 원고를 읽어보려다가 글을 읽을 수 없을 정도의 어두움 때문에 바로 포기했다.

　그가 <하이드>를 잊었든, 잊지 못했든 그의 생가에서 꽁꽁 숨겨진 채 발견되었기 때문에 피에르 씨가 그 정도로 공들였던 글일 거라는 생각이 들었다. 사십 년 동안 잊고 살았을 원고. 그가 다시 알게 되면 얼마나 기뻐하실지 가늠이 안 됐다.

　추위 속에서 악착같이 버텨낸 끝에 밝은 다음날은 여전히 추웠지만 따스한 햇살이 지면을 조금이나마 데운 탓에 얼어 죽지 않았다고 생각했다. 밤새 내린 눈은 소복이 쌓여 걸을 때마다 눈 밟는 소리가 나지막이 들려왔다.

"메리 크리스마스!"

새까맣게 잊고 있었다. 아침에 눈을 뜨자마자 "메리 크리스마스"라며 소리를 질러댄 빈트 씨 덕분에 크리스마스임을 알게 되었다. 몸 위에는 눈이 한가득 쌓여있었는데 그래도 그다지 특별한 건 없었다.

원고가 들어있는 상자를 배게 삼아 자는 바람에 목이 뻐근했다.

눈을 문질러 최대한 깨끗하게 닦은 <하이드> 원고상자는 원래 있던 이불장이 아닌 이불장 바로 옆 틈새에 고이 두었다. 먼지가 최대한 덜 묻게 하려는 것이었다.

"안녕."

"잘 가요!"

빈트 씨와 인사를 하고 생가에서 빠져나왔다. 사실상 호기심에 피에르 씨의 생가에 들어섰다가 뜬금없는 캠프를 하고 나온 것이지만 이것도 하나의 의미 있는 경험이 되었다.

*

"다니엘 씨?"

"예?"

"반가워요. 몸은 어때요?"

"아…, 누구…?"

"몸은 어때요?"

"갑자기요?"

"몸은?"

"괜찮아요."

"괜찮아요?"

"괜찮아요."

"괜찮군요."

1890년 12월 31일. 웬 이상한 사람이 나를 불쑥 찾아왔다. 그러고는 연신 괜찮냐는 말과 더불어 뜬금없는 근황을 물어봤다. 물론 그는 처음 보는 사람이었다.

"다니엘 씨를 보러 아주 멀리서 달려왔습니다. 협조 좀 부탁드려요." 그는 수첩을 꺼내들었다. "머리 자르셨네요. 근데 얼굴은 안 늙었네."

"멀리 서요?"

"너무 오랜 시간이 흐르긴 했죠. 하지만 극적으로 살아남으셨잖아요."

"예? 세인트 케이든 테러사건요?"

"음, 아뇨."

그가 무슨 말을 하는지 전혀 알 수 없었다.

"경찰이세요?"

"아뇨, 그냥 예술가라고 해두죠." 어지러울 정도로 급하게 말하는 그는 꽤나 답답한 사람이었다. "내일이면 새해잖아요. 해피 뉴이어! 새해를 맞아 몇 가지 질문을 드려도 되겠습니까?"

"무슨 이유로 찾아오셨을까."

"죄송해요. 많이 당황하셨을 거 알아요. 간단하게 설명드리자면, 솔즈베리 참사에서 유일하게 살아남은 당신에게 약간의 영감을 받고 싶어서요. 사실 새해고 나발이고 이거 때문에 왔어요. 당신을 찾아오기까지 꽤나 고생했다고요."

"'솔즈베리 참사' 요?"

"네."

"에?"

"맞아요."

"예?"

"설마…, 잊어버린 거예요? 세월아, 야속하기도 하지. 벌써 7년이 다 되어간다지만 어떻게 잊을 수가 있어요. 오, 신이시여…."

지금 보니 그는 답답한 사람이 아니라 이상한 사람이었다. 이런 게 예술가?

자칭 예술가는 계속 내가 7년 전, 솔즈베리 참사의 유일한 생존자였다고 주장했다. 현장에서 구조된 직후 병원에 누워있는 어느 사람의 모습이 담긴 사진을 그 증거로 내밀면서 말이다. 흐릿한 게 잘 보이지 않았지만 사진 속 인물이 내가 아니라는 확신이 있는 것은 아니었다. 7년 전이면 '기억의 날' 이전이라 내가 기억해 낼 수 없는 일이었다. 이와 관련한 정보는 사진자료나 신문 따위의 매체, 혹은 이와 관련한 사실을 알고 있는 사람에게 들을 수밖에 없었다.

"정말 잊은 거예요?" 그가 촐싹거리며 물었다.

"네."

"정말?"

"네."

"정말?"

"나가세요."

"오, 이런! 안타깝지만 당신에겐 질문을 해도 답변을 받을 수가 없겠군요! 다른 생존자를 찾아가야겠어요."

그는 보기 좋지 않을 정도로 표현이 과했다.

"제가 유일하다고 하셨잖습니까."

"…아, 맞습니다. 잘 아시네요. 사실 막 정신이 오락가락해요. 정신과 혼을 하나로 묶는 그것이 예술가니까 이해 좀 해주시죠."

미친 새끼.

땅이 꺼질 듯 한 한숨을 내뱉고 싶었지만 간신히 참았다. 한숨을 내쉬면서 배출해야 했던 이산화탄소가 몸속에 쌓이는 느낌과 함께 답답함을 자아냈다.

"잠시만요…."

그는 매고 있던 작은 가방을 뒤적거리더니 잔뜩 구겨진 조각신문을 내게 건넸다. 조각신문에는 이렇게 쓰여 있었다.

[신문기사 / 1884년 3월 19일 자]
「솔즈베리 참사 : 솔즈베리에 위치한 도서관에서 화재사고 발생. 사망 36명, 부상 1명.'」

"제가 본문내용은 가지고 있지 않아서 그런데요, 당시에 도서관에 있었던 사람이 서른일곱 명이었어요. 유일한 생존자는 바로 그쪽이고요."

"증거는요?"

"여기요! 이 사진." 자칭 예술가가 내민 사진은 아까 그가 내밀었던 그 사진이었다.

"장난하십니까? 이게 끝?"

"제 눈과 뇌가 증거입니다. 그때 병원에서 그쪽을 제가 봤다니까요?"

그렇게 의미 없는 대화에 시간만 지체되어가니 자칭 예술가를 돌려보내기에 급급해졌다. 어딘가 나사가 하나 빠진 것 같은 이상한 사람을 상대하는 것뿐이었지만, 그 평화로웠던 잠시 동안 이렇게 진이 빠지는 경험은 처음이었으니 그가 말한 모든 내용을 머릿속에서 지워버릴 생각이었다.

집으로 들어가 곧바로 옷장을 뒤졌다. 세인트 케이든 연회 날 입고 갔던 검은 바지의 주머니에서 작은 종이를 꺼냈는데, 그것은 이사벨이라는 사람의 편지였다. 연회 날, 연회에 가기 전에 옷을 입다가 발견했던 편지였다. 그때는 다시 주머니에 넣었는데 내가 다시 이 편지를 다시 꺼낸 데에는 이유가 있었다.

「다니엘, 요즘은 잘 지내고 있나요? 소식을 전혀 전해 들을 수 없어 도통 알 수가 없네요. 내일이면 드디어 만날 수 있어 좋아요. 오랜만에 보려니 하는 일이 손에 잡히지 않을 정도로요. 오늘 저녁에 바로 솔즈베리로 갈게요. 그럼, 안녕.
1884년 3월 17일. 이사벨.」

바로 직접적으로 솔즈베리에 대한 언급이 있었던 점, 그리고 이 편지가 솔즈베리 참사가 있었던 이틀 전인 3월 17일에 쓰인 편지였던 점.

편지의 내용으로 미루어 보아 이사벨이라는 사람은 솔즈베리 참사의 피해자였고, 그렇게 그곳에서 죽은 듯했다.

차라리 몰랐더라면 좋았을 터, 때문에 머릿속엔 혼란이 왔지만 오랜 시간이 지나도 잊히지 않았기에 또 괜히 할 일만 는 것 같았다.

자칭 예술가의 말이 정말 맞는 것일까?

*

현재의 런던은 영감에 굶주리는 예술가들로 북적이는 곳(그 자칭 예술가도 이 부류였다.)으로 바뀌어있었다. 그들은 모든 것에서 영감을 찾으려 노력했으나, 이렇다 할 작품을 만들고 이름을 널리 알리는 이는 많지 않았다. 그들에게 위화감이 드는 것은 어쩔 수 없었지만 빈트 씨는 이미 리버풀에서 영감을 찾아다니는 예술가들의 시초가 되는 것은 분명했다. 다른 지역에서 온 그가 런던을 이렇게 만들었다고 할 순 없지만 분명 좋은 영향을 끼치고 있다는 것은 부정할 수 없는 사실이었다.

"알고 있죠. 이미 그것을 주제로 노래까지 만든 적이 있는데요." 빈트 씨가 말했다.

자칭 예술가에게 솔즈베리 참사에 대해 전해 듣고 곧바로 빈트 씨를 찾아갔다. 다시 한번 런던에 방문했다는 빈트 씨(그는 길거리의 시민들의 입에 오르내릴 정도로 어떤 대단한 무언가를 한 듯했다.)가 머물만한 호텔을 전부 수소문한 끝에 그를 찾아내느라 꽤나 힘이 들긴 했지만 다행히 집에서 도보로 약 10분 정도 걸리는 멀지 않은 호텔 303호에서 빈트 씨를 만나게 되었다.

빈트 씨의 방에선 처음 맡아보는 달콤하고 이국적인 꽃내음이 물씬 풍겼는데 그의 어깨너머로 보이는 테이블에 올려져 있는 특이한 향수병을 보고 어디서부터 나는 냄새인지 유추할 수 있었다.

"노래요?"

"그래요. 몇 년 전에 런던에 놀러 왔을 때 불렀는걸요. 다니엘 씨 앞에서요."

몇 년 전에 빈트 씨를 만났던 것이라면 세인트 케이든 연회밖에 없었다.

"아, 그 연회에서 불렀던 노래요?"

"네, 맞아요. 막무가내로 들어왔다가 쫓겨나고선 머물 곳도 없어 꽤나 고생했던 기억이 아직도 나요."

"혹시 그 가사 좀 적어주실 수 있나요?"

그는 흔쾌히 수락하는 듯 표정을 짓더니 잠시 후에 누런 종이와 펜을 들고 나왔다.

"항상 감사해요. 이곳 사람들의 해학성 말장난들은 듣기도 힘들 지경이지만," 빈트 씨가 호텔 현관문 바로 옆에 있는 작은 선반에 종이를 올려두고 가사를 빠르게 적어주며 말했다. "덕분에 런던 자체가 재미는 있네요."

"제가 감사하죠."

솔직히 나는 빈트 씨에게 신세를 진 것밖에 없었다. 오히려 고마워해야 할 처지는 나였다.

"여기 있어요."

"감사합니다."

그는 열심히 움직이던 손을 멈추고 가사가 잔뜩 적힌 종이를 내게 주었다. 3년 선 노래라면 가사를 끼먹었을 법도 했는데 막힘 없이 쭉쭉 외워 쓴 것에 감탄했다.

"당시 솔즈베리 참사에서 유일하게 살아남은 사람의 시점으로 쓰인 노래예요. 이 사람은 병원으로 곧장 이송된 후 겨우 목숨을 부지하고 입원 중, 무의식 중에도 여러 번 '내가 미안해'라고 연신 중얼거려 큰 화제가 됐었어요. 그 안에서 안타까운 일이 있었던 거죠."

빈트 씨가 슬픈 표정을 진 채로 말했다.

"병원으로 이송된 사람이 그 사람 한 명뿐이었나요?"

"아뇨, 사람들이 대거 병원으로 옮겨졌지만 웬만해선 이미 죽은 후였다죠. 단 두 명만이 생존할 가능성을 보였지만, 한 명은 치료받던 중 죽어버렸고, 한 명은 겨우 살아남았지만 완전히 미쳐버려서는 병원에서 탈출하고 실종되었대요."

"정신적으로 고통을 받고 있었군요."

"결국 생존자는 없는 거나 다름없죠." 빈트 씨가 한숨을 쉬며 말했다. "유일한 생존자는 실종된 이 사람인데, 생사가 불확실해서 생존자라고 단정 짓기도 참 뭐 하고."

빈트 씨는 막힘없이 이야기를 술술 풀어나갔다.

"기억력이 좋습니다."

"고마워요. 워낙 충격적인 일이라, 잊히지가 않아요. 가끔은 꿈에도 종종 나오고요."

결국 심야는 오는 법인 걸까요
아프지만 도망칠 수가 없습니다
마지막까지 아름다웠던 그 얼굴을
아직도 잊을 수가 없습니다
불기둥 아래에서 마주한 태양조차
밤이 되어 사라지고 없습니다

앞으로는 보이지도 않는 이곳에

남은 것은 제 몸 하나 빼고 없습니다

그의 노래가사를 유심히 살펴보았다. 불기둥 아래에서 마주한 태양이란, 직접 본 적은 없지만 뭔가 그것을 알 것만 같았다.

"빈트 씨, 불기둥이 무슨 뜻입니까?"

"아, 그 유일한 생존자였다는 그 사람이 그렇게 진술했거든요. 피해자 중 한 명은 2차 피해로 무너진 잔해로 죽었대요."

빈트 씨는 그 뒤로 내게 그날 이야기를 계속해서 들려주었다. 그의 말이 반드시 옳다는 근거는 어디에도 없었지만 그저 빈트 씨의 말을 곧이곧대로 믿고 그의 이야기에 집중할 뿐이었다.

그 유일한 생존자는 솔즈베리 참사에서 극적으로 구조되어 병원에서 치료를 받은 후 목숨을 부지할 수 있다고 했지만, 그 뒤로 정신적으로 여러 문제점을 보이더니 끝내 미쳐버리곤 소식이 없다는 것이었다.

"그가 정신적으로 미쳐버린 가장 큰 원인은 화재가 아닌 그 참사 현장 속에서 있었던 안타까운 일이 마음의 상처가 되어 그의 머릿속에서 맴돌았을 것이라는 설이 유력하다고 하죠." 빈트 씨가 계속 설명했다. "그 뒤로 그 유일한 생존자는 몇 달간 솔즈베리, 앤도버, 베이싱스토크, 킹스턴에서 차례로 목격담이 돌았는데, 떡지고 엉킨 긴 머리에 후줄근한 옷차림으로 매일 밤마다 기괴한 소리를 내며 돌아다니기를 며칠간 반복하고 바람처럼 사라진다는 공통점이 있었다고 해요."

기둥에 깔린 여자를 잃은 과거, 떡지고 엉킨 긴 머리, 후줄근한 옷차림, 기괴한 소리…. 아, 이런. 짐작 가는 사람이 있다. 아니, 짐작이 아니라 확신에 가까웠다.

이건…, 장발이잖아.

"어찌 보면 그냥 좀 특이한 사람의 특이한 소란이었을지 몰라도, 그가 그 지경이 되도록 아무런 조치가 없었냐는 비판적인 여론이 떠돌기도 했어요. 온갖 억울한 일은 다 겪었음에도 부정적인 시선이라는 미운털이 박혀 방치된 채 사람들의 기억 속에서 잊혀가는 모습이 한편으로는 안타까울 뿐이죠."

"…."

장발의 과거를 알고 나니 몇 년 전에 봤던 꿈이 다시 떠올랐다. 책장에 깔린 여자를 두고 구하지 못한 채 절규하던 그 상황은 솔즈베리 참사였다.

"그런데 갑자기 솔즈베리 참사는 왜요?"

빈트 씨가 소파 위에 있던 바이올린을 정리하며 물었다. 그가 바이올린을 잡은 손으로 손목을 움직일 때마다 현이 조금씩 움직이며 작은 소리가 났다.

"제가 그이라고 주장하는 사람이 있더군요. 사진 한 장 달랑 들고 와서는."

"정말요?"

그가 놀랍다는 표정을 지었다.

"네. 하지만 이제 알 것 같아요. 유일한 생존자가 누군지. 그는 아직도 살아있어요."

"기억에 없으면 아닌 거죠, 뭐. 이미 몇 년도 지난 일 그리 중요할 것도 없고요…." 그가 말했다. "아, 다니엘 씨, 제가 내일 아침이면 호텔 체크아웃 해야 하거든요?"

"여행을 끝마치고 돌아가시게요?"

"아뇨, 그건 아닌데 지금 당장은 돈이 없거든요. 내일부터 저를 찾아오시려거든 그때 그 폐가로 오세요."

"피에르 씨의 생가?"

"네, 맞아요. 아무도 없고 비용도 없어 혼자 머물기 좋아요. 한 2주 정도 더 머물다 갈 생각입니다."

그와 인사를 나눈 뒤 다시 편안한 집으로 향했다.

장발의 과거를 알게 되었다. 꿈은 기억에서 파생되어 나온다 했던가. 장발은, 어쩌면 내게 자신의 과거를 알려주고 싶었던 것은 아니었을까.

이사벨에게서 날아온 편지의 수신인은 다니엘이라 표기되어있었다. 때문에 내가 다니엘이라는 사실을 알고 난 후 부터는 그 편지가 내게 온 것이라고 생각했다. 이 근처에 다니엘은 나 혼자였으니까.

그러나 이젠 좀 생각이 바뀌는 듯했다. 이 근처에 내가 이름을 아는 사람 중 다니엘이 나 혼자인 것은 맞지만, 이름도 모른 채로 함께 지내온 누군가가 있지 않은가. 여태껏 '장발'이라는 이름으로 대신 불려온 그이 말이다.

오후 5시가 다 되어가는 마당에 아직 한 끼도 먹지 못하여 슬슬 배고픔이 몰려왔다. 집으로 돌아가는 길 위 하늘에 덮인 어둠과 그 한기가 차가웠다.

비로소 내가 되었다

1852년 겨울.

양초에서 타오르는 불씨가 연신 타닥거리는 소리를 낸다. 고스란히 올려둔 책상 위 양초는 어느새 절반 이상이 녹아내린 탓에 그 밑은 촛농이 쌓인 채 굳어 마르고 있다.

추운 겨울은 남자가 가장 좋아하는 계절이다.

살짝 열어둔 창틈 사이로 들어오는 바람에 꺼질 듯 흔들리는 촛불은 끝까지 꺼지지 않고 버텨낸다. 남자는 글을 쓰다 말고 하나의 그 아슬아슬한 상황을 넋 놓고 바라볼 뿐이다.

자고로 가장 강렬한 영감이란 직접 겪어보지 않고서는 보이지 않는 법이다. 이는 남자가 어느 날부터 범죄에 손을 댄 유일한 이유였다.

3년 전, 그가 길거리를 돌아다니던 고양이를 죽인 것은 분명한 실수였다. 그러나 순간에 그는 죄책감과 더불어 생명체를 죽였다는 느낌과 세세한 감정의 신세계를 경험했다. 그 뒤로 그는 영감을 위한다면 살인 따위 서슴지 않는 사람이 되었다. 범죄에는 이유가 따르지만, 그의 범죄는 득이하게 범죄 자체가 하나의 이유가 되는 경우였다.

그리고 그렇게 받은 영감을 곧이곧대로 자신의 소설로 재구성하여 옮겨 적었다. 때문에 그의 소설들은 대부분이 1인칭에서 쓰인 어두운 내용이지만 구체적이고 생동감 있는 묘사와 뛰어난 연출로 문학의 거장이라 불리는 소설가로 탈바꿈할 수 있게 되었다 그의 필력에 홀려버린 독자들은 남자가 그런 일을 벌이며 소설을 쓴다고는 상상도 하지 못한 채 그의 다음 신작이 나오기만을 기다렸으리라.

남자는 오늘 그가 3년간 써온 소설의 마지막 장을 써서 마침표를 찍으려던 참이었다. 저번 주 월요일, 마지막으로 합류한 세 명까지 합하여 남자의 소설은 열두 명이 스며든 채 완성을 기다리는 중이었다.

아이러니하게도 그의 소설은 3년 동안 살인사건이 급증해 공포에 떨고 있는 런던 시민들에게 한줄기 힘이 되어주었다.

"정말이지, 아름다운 글이야. 이리 생동감 넘치는 글은 언제나 새로울 뿐일세." 남자는 자신이 써 내려간 글을 천천히 읽어 내려가며 스스로에 대해 감탄한다. "세상을 멈췄던 흑사병도 내겐 소재에 불과하지."

"생동감이라는 그 단어, 보기보다 무서운 단어였군, 그래." 옆에 있던 남자의 오랜 사업동료인 인쇄업자가 덧붙인다. "흑사병은 끝난 지 오래라네, 친구."

그 역시도 남자의 소설 내용은 전부 알고 있었지만 그의 범죄사실을 전혀 모르고 있었다.

간간히 소설을 쓰는 남자는 지금까지 이 인쇄업자에게 많은 도움을 받아왔다. 남자는 소설을 쓰며 돈을 벌었고, 인쇄업자는 책을 대량으로 생산하여 남자에게 책 판매수입의 일부를 받았다. 전형적인 사업관계였다.

"두 눈으로 보고 두 귀로 듣는 영감은 쉽게 가시지 않기 마련일세. 생동감이라 함은 더욱 그렇지." 남자가 황홀한 무언가에 홀린 듯 말한다. "흑사병으로 겪었어야 했는데, 그러지 못해 흉내밖에 내지 못하고 있는 게 현실이지만. …표정이 안 좋군, 자네."

"흑사병이 쉽게 가시지 않긴 했다만 그것에서 영감을 뽑아내는 자네가 조금은…, 뭐랄까…,"

"괜한 걱정 하지 말게. 부자의 삶을 글로 써내려면 닷새라도 부자의 삶을 직접 살아봐야 한다는 말일세." 인쇄업자의 겁먹은 얼굴을 잠시 확인한 남자가 그를 안심시킨다.

인쇄업자는 잔뜩 낡아 당장이라도 다리가 떨어질 것 같은 안경을 고쳐 쓰며 괜히 헛기침을 한다.

남자와 30년을 알고 지내며 그를 조금이라도 경계하게 된 것은 남자와 사업관계를 맺기 위해 처음 만날 때, 혹여나 그가 사기를 칠까 봐 경계했던 적 이후로 처음이다.

"이번 소설도 곧 마무리될 것 같으니 다음 달에 당장 출간하고 사업 관계를 끝내는 것은 어떠한가?"

인쇄업자는 이번 소설을 인쇄하여 출간하는 것을 마지막으로 그와의 사업관계를 마무리 지으려는 생각이다. 예술에 미쳐버린 이에게서는 더 이상 얻을 것이 없었다고 생각했으니까.

인쇄업자는 삶과 죽음이 주가 된 남자의 소설을 늘 곁에 두고 살면 자신이 내적으로 어두워져 버릴까 걱정됐다. 사실 인쇄업자가 남자의 집에 찾아온 이유도 이 말을 전하려던 것이었다.

"그러려던 참이었네. 더는 엉감이 들어갈 곳이 없거든."

"영감이라…."

갑자기 생소하게 들리는 단어다.

인쇄업자는 생각했다. 남자를 만난 이후로 자신에게 있어 '영감'이라는 단어가 완전히 새로운 의미로 변질되지는 않았는가. 그가 밤낮 가릴 것 없이 떠들어대던 단어였기에 더욱 그랬다.

"솔직히 말해서, 더 이상 이런 일에 동조하고 싶지 않다는 뜻일세. 돈을 못 벌어도 상관없소."

그의 영감 이야기와 깐깐한 성격에 지칠 대로 지친 것도 인쇄업자의 파업에 큰 영향을 끼쳤다.

"고작 돈 때문에 이런 짓을 해온 것은 아니었으나…, 자네는 잘 모를 수도 있었겠군. 예술의 세계란 어려운 것이거든." 남자가 자리에서 일어나며 말한다.

"이거까지 하게." 인쇄업자도 자리에서 일어난다.

"좋소. 실은 나도 여기서 슬슬 그만둘 생각이었네."

"입만 아플 뿐이지."

"하하, 틀린 말은 아니군." 남자가 폭소를 터뜨린다.

둘은 문을 열고 밖으로 나온다. 상큼하고 깨끗한 공기의 냄새가 나는 눈은 거리에 잔뜩 쌓여 온 세상을 하얗게 칠했다.

두꺼운 코트를 껴입은 인쇄업자는 너무 추워 감각이 둔해지는 자신의 귀를 보고서야 두꺼운 털모자를 자기 집에 두고 왔다는 것을 알아챈다. 남자는 투덜거리는 그를 배웅하려 함께 마당까지 나온다.

"잘 가세. 루카스처럼 후회 없는 밤이 되길."

"잘 있게. 근데 루카스가 누구요?"

"내 소설에 등장하는 인물 말일세. 항상 일의 마무리를 제대로 하지 못하여 후회를 하곤 하잖소."

"하하, 참 매력적인 인물이었지. 마무리라 함은 곧 하루의 마무리인 숙면을 뜻하는 것이겠지?"

　남자는 말없이 웃으며 고개를 끄덕인다. 세상 온화하고 다정한 미소이다. 곧, 손을 흔들며 뒤돌아선 인쇄업자의 뒤통수를 벽돌로 찍어 내리기 전까지는.

　인쇄업자는 눈도 감지 못한 채 그 자리에 엎어져 죽었다.

　"…그만둔다고 하기엔 정말로 입만 아플 뿐이었네. 아직 소설의 결말을 쓰지 못했으나, 스스로 루카스가 되긴 싫었소." 남자는 인쇄업자의 뒤통수를 내려찍을 때 온 정신을 집중하여 그 느낌을 기억하려고 애썼다. 손끝의 감각, 팔의 떨림, 공기를 가르는 묵직한 벽돌의 무게까지 기억하려 했다.

　사실 그의 소설은 아직 끝나지 않았다. 소설의 완성도를 위해서는 누군가를 벽돌로 찍어내려 죽이는 장면이 필요했을 뿐이다.

　남자는 차갑게 얼어붙은 인쇄업자의 시신을 치우지도 않고 곧바로 집으로 들어가 머릿속으로 그 찰나의 순간에 느낀 모든 것으로 소설의 마지막을 써 내려갔다. 오감을 동원한 모든 것을 섬세하고 생동감 있게 묘사할 수 있었다. 두 눈으로 보고 두 귀로 듣는 영감은 쉽게 가시지 않기 마련이니까. 생동감이라 함은 더욱 그렇고.

　남자의 소설은 이제 열세 명이 스며든 채 진정한 완성을 기다리고 있다. 그러고는 의연히 첫 장에 자신의 이름을 새긴다.

'<하이드> 원고.'
'피에르 아르튀르 록시 지음.'

　피에르는 그렇게 또 한 권의 책을 완성시켰다.

며칠 뒤, 피에르는 <하이드>의 원고를 산 깊숙한 곳에 위치한 자신의 오랜 생가에 꼭꼭 숨겨두기로 했다.

새로운 인쇄업자를 찾을 때까지 책을 출판할 수 없었다. 까다로운 그와 마음까지 맞아야 하고 온전히 모든 시간을 자신에게 투자를 해야 하는 인쇄업자를 찾는 것은 까다롭고 오래 걸린다는 것을 알기에 당분간 숨겨두기로 한 거다. 약 백 쪽 분량의 원고지에서는 피비린내가 나는 것 같은 착각을 불러일으키는 알 수 없는 냄새가 스멀스멀 올라왔다.

아주 오랫동안 찾아오지 않은 생가로 발걸음을 옮길수록 그는 추억에 젖어들었다. 공기와 섞여 코를 스치는 희미하지만 익숙한 향기가 점점 짙어졌다. 그리고 눈앞에 오래된 생가가 펼쳐지자 그것은 정점에 다다랐다.

"맙소사…. 아직 그대로구나." 피에르는 들릴 듯 말 듯 한 혼잣말을 뱉어댔다.

그리고는 여러 가지 생각들이 뒤섞인 복잡한 의미의 한숨을 내쉬었다. 말로 설명할 수 없는 새로운 느낌의 영감을 의외의 곳에서 받은 느낌이었다. 그의 발은 쉽게 떨어지지 않았다.

추위가 조금씩 떠나고 슬슬 따뜻해지기 시작하는 계절이라지만 아직은 추웠다. 피에르는 문을 열고 생가 내부에 들어서자마자 레인지에 불을 지폈다. 아직도 작동하는 레인지에서 시작된 온기는 금세 부엌을 가득 채웠다.

피에르가 생가를 찾은 건 원고지를 숨기기 위해서만은 아니었다. 거주지에서 살인을 저질렀으니 당분간은 숨어 지낼 곳이 필요했다.

고작 하나의 영감과 살인을 맞바꾼 것을 후회하는가? 피에르는 후회하지 않았다. 경험하지 않고서는 영감을 얻을 수 없는 법이니까. 그에겐 고작 영감일 뿐도 아니었다.

생활하지 않은지 5여 년은 지난 생가였지만 아직 멀쩡하여 여기서 몇 년은 더 지낼 수 있을 거라 생각했다. 피에르는 경찰이 곧장 자신의 집에 찾아올 것을 생각하고 몇 달은 묵었다가 가도 될 것이라 판단했다.

"시설 좋은 곳에서 잠깐 노숙한다고 생각해야겠군. 이런 경험도 작가에겐 뜻깊지."

레인지에 붙여 놓은 불이 타닥타닥 타올랐다.

피에르가 원고지가 든 상자를 두꺼운 이불로 돌돌 말아 이불장 가장 깊숙한 곳에 쑤셔 넣으며 나지막이 중얼거렸다.

글을 쓰기 위해 뭐든 마다하지 않았던 그의 걸작은 그렇게 완벽한 모습으로 탈바꿈하여 세상에 나오기 위해 번데기 속으로 들어가 모습을 감추었다.

*

"아직도 모르겠어요?"

"이제 알아요." 내가 답했다.

"다행이네요. 조사 좀 해오셨나 봐요."

"네. 제가 아니라는 것을."

"…그렇다면 그 종아리 화상의 출처는?"

끈질기고 귀찮았다. 이 정도면 설령 내가 맞더라도 인터뷰 따위 응하지 않을 것이라는 걸 모르는 듯했다.

"물 끓이다가?"

"언제쯤?"

"어릴 적?"

"어렸을 때요? 기억이 나나 보네요?"

1891년 1월 8일. 자칭예술가는 어김없이 나를 찾아와서는 날카롭게 따지는 질문들을 마구 던져댔다. 그래도 그는 대충 둘러대면 말을 쉽게 믿는 편이었다. 지금이 가장 중요했다. 솔즈베리 참사의 유일한 생존자가 내가 아니란 것엔 확신이 있었고, 이제 그를 돌려보내야 했다.

"오래되었더라도 기억나는 일은 하나씩 있죠." 내가 말했다.

대충 그럴듯하게 뒷받침해 주며 신뢰성을 제고하기만 하면 되는 쉬우면서 어려운 일이었다.

"그렇죠. 오래된 일일수록 더 기억에 잘 남나 봐요?"

"가끔은 어떠한 근거 없이도 믿어야 하는 때가 있습니다. 근거가 없다고 전부 틀린 건 아니니까."

"믿을게요. 화상은 아물지 않으니까."

"그렇게 중요한 사실이 아니라면 더욱 그렇고요."

"좋아요. 당신은 특이한 사람이군요."

그는 주머니에서 수첩을 꺼내어 조용히 중얼거리며 뭔가를 적기 시작했다. 대놓고 이기죽거리는 그 태도는 기분이 나쁠 정도였다.

"정신상태에 이상 있음…." 그가 펜으로 메모하며 혼자 중얼거렸다. 일부러 내가 듣게 말하는 태도였다.

"흠." 어처구니없다는 듯 웃어넘겼다.

갑자기 찾아와서는 내게 이상한 말들만 늘어놓고 상대방의 기분 따위 고려하지 않는 그는 내가 감정적으로 조금 둔감하여 화를 내지 않는 것에 감사해야 했다.

만약 장발이었다면 곧바로 화부터 냈을….

퍽!

"아악…!"

자칭 예술가는 갑작스레 집에서 성큼성큼 나온 장발에 의해 멱살을 잡힌 채 들어 올려진 채 건물 외벽에 강하게 등을 부딪혔다. 아, 세상에.

그의 짧은 비명이 잠깐 들렸고, 장발의 모습은 흡사 그를 꽁꽁 싸매어 옥죄이는 커다란 뱀이었다.

잠깐, 장발…?

『리볼버가 이런 분야에서 꽤나 효율적이지. 』 장발은 매우 얼떨해하는 자칭 예술가에게 일침을 날렸다.

강렬한 첫인상으로 지켜보는 나까지도 당황스럽게 만들었다.

"종아리에 화상! 확인하라고!" 자칭 예술가는 서둘러 수첩에 이상한 걸 적더니 종아리에 화상흉터를 확인하라는 말을 남긴 채 도망가듯 황급히 자리를 떴다.

놀란 마음을 쓸어내리고 흔들리는 동공을 감추느라 눈을 꽉 감은 채로.

오랜만에 장발과의 조우에 반가움보단 뭔가 문제가 생겼다는 느낌이 앞섰다. 대체로 평화로웠던 날들엔 늘 그가 없었으니까.

마음의 상처가 있는 사람의 과거를 알고 난 뒤에 그 사람을 다시 보는 것은 참으로 애석한 일이다. 생생하고도 끔찍했던 그 꿈

한가운데에 장발이 있었기에 그 일이 실제로 있었던 일이라고 확신한 지는 오래였다.

3년 전, 정신을 잃고 비드보록 병원에서 깨어나기 전에 꾼 그 꿈 말이다. 3년이 지난 지금도 잊히지 않는 꿈.

〚 '급발진 경향 있음.'··· 축하한다. 〛

"음?"

〚 수첩에 그렇게 쓰더라. 〛

"저 사람이?"

〚 응. 〛

평소같이 장발을 적당히 무시해 가며 지나치려 했지만 갑작스레 떠오른 그날의 기억은 장발이 조금 다른 모습으로 보이게 만들었다. 화재 현장 속에서 절규하던 그의 모습은 몇 년이 지나더라도 머릿속에서 잊히지 않았다.

"리볼버 가지고 있어?"

〚 아니. 거짓말이었는데? 〛

"넌 처음부터 환각이었지?"

〚 지금은. 〛

"지금은?"

〚 완전 처음부턴 아니지. 〛

"너는 누군데?"

그의 진짜 정체성을 알고 싶었다.

〚 ···오랜만이라지만 처음 건네는 인사말이 내가 누구냐고? 너도 참 멋지다. 〛

···그도 질문의 의도를 알고 있었을 거다. '너'라는 단어를 특히나 강조해서 말했으니까. 간접적으로 대답을 피하는 어투였다.

"진짜 너는 어떤 사람이냐고."

〚 나 춥다. 들어가자. 〛

"화상흉터 보자. 종아리 걷어봐."

〚 싫어. 없어. 〛

그의 대답이 돌아오자마자 갑작스럽게 바닥에 쪼그린 채 달려 들어서는 장발의 바짓단을 확 걷어 올렸다. 사실 그의 종아리를 확인하기 전에 예의상 의사를 물어본 것에 가까웠다.

장발은 급하게 다리를 뒤로 빼봤지만 이미 늦은 후였다.

〚 뭐하는 거야? 〛

"맞잖아…."

〚 아니라고. 〛

말로는 계속 부인하는 장발이었지만 그의 오른쪽 종아리에는 보란 듯이 화상자국이 있었다.

*

상상과 꿈의 차이는 그것이 허구임을 의식하는가, 못 하는가이다. 오로지 내 머릿속에서 내 의지대로 이루어지는 상상은 이미 허구라는 전제 하에 시작되기에 몰입하기 힘들다. 하나 꿈은 그 순간에 그것이 허구임을 의식하지 못하는 경우가 대다수다.

그러나 꿈은 상상과 다르게 내 의지대로 흘러가지 않는다. 온갖 비현실적인 일들이 일어나긴 하지만 '나'는 이미 계획된 꿈을 연극 보듯이 관람하는 존재에 지나지 않는다. 하지만 허구임을 알지 못하기에 그동안은 온전히 몰입이 가능하다. 남들은 말이다.

내게 있어 꿈이란 잠을 자면 가끔 모습을 드러내는 하나의 공간일 뿐이다. 매일같이 꿈을 꿀 때면 낮과 밤을 주기로 다른 세상에 오가는 느낌을 받는다.

어느 날부터 남들과 다르게 꿈이 허구라는 사실을 인지한다. 악몽을 꿀 때면 잠에서 깨며 꿈이었음을 깨닫고 안도할 필요가 없다. 악몽을 꾸는 동시에 꿈이라는 사실을 인지하고 있으니까.

이따금 장발은 내게 꿈 이야기를 들려준다. 행복한 과거로만 가득 찼다는 그는 잠을 자고 일어날 때마다 지금까지 본인이 보고 느낀 것이 전부 꿈이었다는 사실에 늘 아쉬움을 느낀다. 그리고 그 아쉬움은 그의 입을 통해 내 귀로 전달되는 방식이다.

장발은 꿈에서 여행을 다니는 여행자일 뿐이다. 꿈이 끝나면 여행도 끝나는.

〚그런 적 없어.〛
"있잖아."
〚아니야.〛

장발은 그 꿈(장발이 불길 속에서 소중한 사람을 잃고 절규하는 꿈.) 이야기를 할 때마다 언제나 부정해 왔다. 내가 기억을 몽땅 잃어 스스로 사실여부를 판단할 수 없음을 교묘하게 이용하듯이 기억해 내거나 증명할 수 있으면 어디 해보라는 투다. 정말 희박한 확률이라도 내 기억이 돌아오면 어쩔 거냐는 말엔 자신이 살아있는 한 그럴 일은 절대 없을 것이라 자신 있게 주장하는 그였다.

〚자칭 예술가가 아니었으면 솔즈베리 참사조차 모르고 살았을 거잖아.〛 그가 늘 내게 하던 말이었다.

최근 들어 나는 그에게 솔즈베리 참사에 대한 확답을 듣는 것에 몰두하고 있다. 물론 며칠 째 제대로 된 성과를 내지 못하고 있는 게 현실이지만.

1891년 1월 18일. 매일이 똑같은 하루하루를 살아가느라 약간의 안정과 지루함을 동시에 느끼던 요즘이었다. 이제는 이 세상에 실존한다고 해도 믿을 정도로 매일같이 보이는 장발은 그날 이후로 쭉 내 집에 얹혀살고 있고 요즘은 피에르 씨의 소설들에 흥미를 느낀 듯했다.

요즘 들어 시계를 들고 나를 찾는 손님도 많아져 재정은 어느 정도 안정을 되찾아 끼니를 굶지 않아도 되었다. 이렇게 다시 안정을 되찾은 이상 커다란 일에 다시 휘말리지 않기를 빌어야 했다. 앞으로 또 누군가 죽는 일이 생기는 등 나의 일상이 처참히 무너지면 그땐 정말 감당이 힘들 듯 보였다. 그만큼 지쳤다.

하지만 삶의 목표가 생긴 것도 그때 즈음이었다. 로즈 씨고 죽었겠다, 돈을 좀 더 모으고 솔즈베리로 돌아갈 생각이었다. 나의 진짜 보금자리를 알아냈으니 솔즈베리로 돌아가는 편이 나을지도 모른다. 게다가 솔즈베리로 돌아가면 솔즈베리 참사의 현장을 방문할 수도 있다. 지금은 모두 멀쩡하게 복원되었겠지마는 그 근처에서 조금의 단서를 찾을 수도 있는 노릇이었다.

가끔씩 빈트 씨와 편지를 통한 교류를 해왔다. 그는 언제까지 런던에 머무를 거냐는 말에 이제 곧 런던여행을 마치고 리버풀로 돌아갈 예정이라 답했다. 여행 와서 호텔비가 없어 폐가 속에 들어가 생활하는 그가 사실 이해가 되지 않았다. 집으로 돌아갈 수는 있을지나 모르겠다.

꿈을 꾸는 날엔 항상 집요하게 목표로 삼는 것이 있다. 매일같이 자각몽을 꾸는 탓에 장발이 꿈에 나올 때면 그들에게 주의를 기울인다. 그가 나오는 꿈은 항상 솔즈베리 참사 속에서 전개되는 것이 날로 확신을 가질 수 있었다. 그리고 꿈이 끝나면 곧장 장발에게 달려가 이것저것 캐묻는다. 그것의 반복이다

오늘도 어김없이 같은 꿈을 꾸었다. 이제는 앞으로 어떤 일이 전개될지조차 외우는 지경에 이르렀다. 하나 화재 속에서 사랑하는 사람을 구하지 못한 상실감에 눈물을 흘리는 남자는 가까이서 볼수록 장발의 모습이었다. 아무리 봐도 내가 아니었다.

그는 잔해에 깔린 여자를 구하려 더 깊숙이 뛰어 들어가지만 안타까운 실수로 벽이 부서지며 책장이 엎어져 있는 여자 머리 위로 쓰러졌다. 불타는 책들이 우수수 떨어졌다. 이미 알고 있는 사실이지만 이 장면은 볼 때마다 안쓰러웠다. 바닥에 튄 핏자국을 보았다. 그 핏자국의 모양마저도 항상 같았다.

종아리에 있는 화상흉터는 그 유일한 생존자가 나라고 말한다. 하나 장발의 모습과 빈트 씨가 언급한 유일한 생존자의 특징은 전부 장발을 가리킨다. 이런 상황에 혼란스러울 뿐이었다.

그렇게 확정 짓기엔 아직 이르다. 아직 장발의 진짜 이름조차 모르는 상황이지 않은가.

"제발 내게 뭘 숨기지 좀 마."

잠에서 깬 뒤 가장 먼저 한 일은 장발에게 성큼성큼 다가가 따지기 시작하는 것이었다.

오늘도 그에게 꿈 이야기와 같이 솔즈베리 참사에 대한 답을 구하고 있었다. 다짜고짜 찾아가서 "제발 내게 뭘 좀 숨기지 좀 마"는 그에게 대답을 구하는 첫마디로 적합하지는 않지만 장발은 이제 이렇게만 말해도 무슨 뜻인지 알아듣는 지경에 이르렀는지 잔뜩 귀찮은 표정이 먼저 얼굴에 드러났다. 꿈을 꾼 이후 장발을

볼 때마다 화재 속에서 절망에 휩싸인 그의 모습이 겹쳐 보였다.

그는 평화롭게 부엌에서 감자를 통째로 씹어 먹으며 피에르 씨의 소설을 읽다 말고 짜증이 났는지 언성을 높였다.

『오늘도 그러는 거야? 어디서 그런 확신을 가졌는지 궁금하네.』

"같은 꿈을 여러 번 꾸는데 그게 확신이지. 꿈도 어떻게 보면 환각이니까. 기억 환각장애 그런 거."

『왜 그런 바람이 들었는지 모르겠어. 네가 꾼 꿈으로 내게 사실여부를 물어보는 날이 지속되는 게 얼마나 지겨운지 알아, 클로드?』 그가 입에 감자를 물고 말했다.

장발은 나를 클로드라 알고 있는 듯했다. 누군가는 나를 클로드로, 누군가는 나를 다니엘로 부르니 나 스스로도 내 정체성에 대해 혼란이 왔던 게 한두 번이 아니다. 세상에 자기 이름을 몰라서 헷갈려하는 바보가 여기에 있다.

"클로드는 빌어먹을."

평소 같았으면 이번에도 실패임을 알고 그냥 넘어갔을지도 모른다. 하나 그가 클로드라는 이름을 불렀을 때, 의심은 다시 확신이 되었다.

『뭐?』

순간에 흐른 정적은 분위기를 삽시간에 바꿨다. 뭔가 하면 안 될 말을 한 기분이었다.

"네가 내게 해온 말들 중에 거짓말은 없길 바라."

『뭐라고?』

"다니엘, 이게 내 이름이래."

장발의 당황한 표정은 너무 과해서 보는 나까지도 당황하게 만들었다.

〖누가 그랬는지는 몰라도 그런 거 그냥 잊어.〗 그는 무덤덤하게 넘어가려 했다.

"앞으로도 날 클로드라고 부르게? 제발 확실하게 해. 무작정 우기면 끝인 거야? 너 때문에 나도 내가 누군지 모르겠어."

〖누가 다니엘 이래?〗 장발이 섬뜩한 표정으로 소리쳤다.

"브로디가."

장발의 표정이 점점 어두워졌다. 이에 대해 민감하게 반응하는 것 같아 조금 더 건드렸다간 터질 것 같이 속에 무언가 차오른 듯했다.

〖그 사람 말 믿지 마. 다니엘은 그냥 머리에서 지워, 제발.〗 그가 좋진 못한 말투로 말했다. 〖여기서 널 아는 사람들을 전부 찾아가 보면 그들은 널 클로드라고 부를 거야. 앤드루 경도, 코번트리 백작도….〗

"브로디도 마찬가지야. 브로디가 있던 곳으로 돌아가면 그들은 나를 다니엘이라 부를 거야."

〖아니, 절대.〗

"안 가봤잖아."

〖그래, 안 가봤지.〗

"둘 중 하나는 가명이잖아."

〖다니엘은 가명도 아니야.〗

"본명일지도 모르지."

〖아무 상관없어!〗

장발은 한동안 말이 없었다. 그동안 그의 표정은 어딘가 불안하고 초조해 보였다. 그가 내게 무언가를 숨기는 건 확실했다만,

그게 뭔지는 나로선 알 수 없었다. 진짜 이름마저 분간을 못 하는 내 처지에 탄식만 나왔다.

〖다니엘, 아…. 다니엘….〗

"내가 몇 년 전까지만 해도 솔즈베리에서 살았다고 그랬어. 우리가 과거에 아는 사이였다면 너도 솔즈베리에서 살고 있었다는 거잖아. 내 어릴 적도 기억하는 네가 런던출신이라면 이해 못하는 날 설득해 볼래?"

〖다니엘….〗

"우린 둘 다 솔즈베리에서 살았던 거야."

묘한 기류가 흘렀다. 장발은 감자와 책을 내려놓고 내 쪽으로 몸을 확 돌렸다. 뭔가를 막 생각하다가 그가 입을 열었다.

〖지금부터 하는 얘기는 다 진실이니, 들어봐.〗 그가 한숨 섞인 목소리로 말했다. 〖사실 네가 내게 처음으로 그 꿈 얘기를 했을 때, 많이 놀랐어. 그렇게 알고 싶어 하니 말해주자면, 네 이름은 다니엘이 맞지만 난 솔즈베리 참사의 생존자는 아니야. 난 살면서 그런 큰 사고 한번 난 적 없는 걸. 정말 사실이야.〗

"그럼 그게 나야?"

〖몰라 나도. 벌써 몇 년이나 지났어.〗

"전부 진실은 아니겠지. 퍽이나 술술 불겠어."

〖믿든지, 말든지. 이젠 지쳐.〗

하지만 저 대답을 듣는 순간까지도 수상한 느낌은 사그라들지 않았다.

"뭘 또 숨기고 있지."

〖그런 거 없어. 누구든 널 클로드로 알고 있거든. 이름을 바꿨다고 전해주는 편이 더 빠를 거야.〗 장발이 답했다. 〖모든 걸 말

했어.』

"지금까지 3년을 내 이름 하나 모른 채 살아왔어."

사실 가끔씩 스스로를 의심하기 시작했다. 혹시 내기 이닐까, 생각할 때마다 꿈은 장발을 비추었기 때문에 지금껏 더 깊게 생각을 해보지 않았을 뿐이다. 내가 어려서부터 내 일을 남 일이라고 생각하는 습관이 있었다면 그 꿈은 내 내면에서 만든 기억의 왜곡이었을까?

솔즈베리 참사의 유일한 생존자가 정말 나라는 사실이 좁혀지고 있음에도 꿈에선 왜 자꾸 장발을 보여주는 지는 아직도 이해를 할 수가 없었다.

『하나만 묻자. 군이 알아서 뭘 하려고 이러는 거야? 얘기 들어보니까 좀 알만한 게 있긴 해?』 그가 따지듯이 물었다.

"그저 기억을 꺼내고 싶을 뿐이야. 얼마나 행복할지 벌써 느낌이 와. 내가 감 잡을 수 있는 게 너밖에 없잖아. 이거라도 확실히 해야지."

『내가 너와 어린 시절을 함께했던 유일한 사람이라고 이러는 거야?』 장발이 소리쳤다. 『행복해지고 싶어서 기억을 찾는 거라면 모르는 게 나아, 넌 말이지.』

"그건 내가 판단해. 아무리 안 좋은 기억이라도⋯."

『기억을 꺼내서 행복해져? 말 같지도 않은 소리 마.』 장발이 말을 끊고 소리쳤다.

잠시 내려간 분위기는 다시 고조되었다. 감정에 쉽게 휘둘리는 장발은 가끔 이해할 수 없는 급발진 경향을 보이곤 했다.

『네가 아무렇지 않게 살고 있는 건 오히려 기억이 없기 때문에 그런 거야, 알아들어?』 장발이 버럭 화를 냈다. 『제발 뭘 좀 알려고 시도하지 마. 네가 그 기억 때문에 감당 못하고 현실을 못 사는 걸 내가 봤거든.』

"뭐?"

『네가 판단하겠다고? 넌 이미 무너졌어. 다 지난 일이야.』

"뭐라고?"

『넌 미쳤어. 미쳤었지, 제대로. 내가 네 거지 같은 기억들을 몽땅 지우기 전까지는.』 그가 소리를 질러댔다. 『고마운 줄 알아! 이번에도 똑같을 거야.』

난 그 말이 이 상황을 무마시키려 대충 내뱉은 말인 줄 알았다. 당황스러움에 말이 나오지 않았다. 기억을 지운 게 장발이었다고?

그것 때문에 내가 이렇게 살아온 거라고? 내가 타인에 의해 기억이 지워졌다고? 왜?

『내가 솔즈베리 참사의 생존자 거나 아닌 건 중요하지 않아. 또 네 끔찍한 일은 알려고 하지 마. 예전으로 돌아가면 더 괴로워질 뿐이야. 잊고 살아, 그냥.』

"대체 왜…?"

『아닐 거 같지? 이미 그랬어, 넌.』

"뭐 때문에…?"

괜히 억울한 마음에 울컥했다. 기억을 잃고 살아간다는 건 일상생활에 큰 제약이 따를 뿐 아니라 그 정서까지 불안전하게 만든다. 난 이런 것들을 전부 띠안고 살아왔다. 왠지는 몰랐는데 이젠 장발 때문이었다는 걸 알게 되었다. 기억은 또 어떻게 지운건지, 이해할 수 없는 것 투성이였다.

날 위해 기억을 지웠다고? 그가? 장발이 신이라도 되는가?

"정말 솔즈베리 참사의 생존자가 나인 거야? 그거 때문에 내 기억을 지운 거야?"

『아니. 솔즈베리 참사는 우리랑 관련 없어. 더 이상 묻지 마. 너를 위한 거니까.』 그가 더 이상의 대화를 거부했다. 『계속 솔즈베리 참사를 우리랑 엮는다면, 너도 앞으로 내가 하는 모든 말을 의심해야 할 거야.』

그 뒤로도 계속되는 질문에 아무 말 않자 그렇게 포기하고 집을 나섰다. '너를 위한 거니까'라는 말, 그것은 옛일에 대하여 아무것도 모르는 내게 변명하기에 안성맞춤인 말이다. '어쨌든 너는 모르는 과거에 무슨 일 때문에 그런 거니 널 위한 거였다'는 말밖에 더 되겠는가. 물론 장발은 그 무슨 일이 뭔지에 대해선 입을 열지 않았다. 답답함은 날로 쌓여갔다.

그러나 마음 한편으로는 그의 말이 계속 걸렸다. 난 대체 어디서 얼마나 끔찍한 일을 겪어서 그런 것인가? 난데없이 등장한 솔즈베리 참사의 이야기는 대체 어떤 곳에 끼워야 모든 전말이 맞아떨어질까?

그래도 내 나이 이십 대, 의문만을 남긴 많은 것들을 뒤로 제쳐두고, 불투명했던 내 이름을 확실하게 알게 되었다는 사실에 만족해야했다. 그 뒤로 난 평소와 같이 손님들에게 시계를 팔며 돈을 벌었다.

난 클로드 필립이 아니다.

다니엘이다.

*

며칠 후 웬일로 이른 아침에 눈을 떴다. 새벽 5시 반, '기억의 날' 이후 뜬눈으로 밤을 새웠던 날을 제외하면 내가 깨어있는 제일 이른 시간이었다. 하늘은 아침인 듯 밤인 듯 애매한 새벽하늘에 구름으로 잔뜩 뒤덮여있었다. 차갑지만 신선한 공기에 얼굴이 꽁꽁 어는 느낌은 날 잠에서 깨워 확실하게 정신이 들게 했다.

사실 이전에도 이 시간에 잠깐 깨는 일은 종종 있었다. 다만 무거운 눈꺼풀을 이기지 못해 다시 잠에 들었을 뿐. 오늘도 다른 날과 다름없었지만 잠깐 떠진 눈에 곧바로 일어난 데에는 다 이유가 있었다.

"당분간 솔즈베리에 가야겠어." 어제저녁, 내가 장발에게 했던 말이다.

〚 진심으로? 대체 왜? 〛 장발이 이해할 수 없다는 표정으로 말했다. 〚 뭐 하려고? 〛

"두고 온 과거들이 너무 많아. 가보면 다 기억날지도 몰라."

〚 헛소리 마. 어디에 뭐가 있는지는 알아? 〛

당연히 모른다. 넓은 솔즈베리에서 내가 자랐던 곳을 찾는 것이 여간 쉬운 일은 아니겠지. 하지만 이곳에서 솔즈베리 참사에 대한 정보를 얻는 것은 마치 북극에서 남극 대륙의 펭귄에 대한 정보를 캐는 것과 같았다. 드넓은 남극 대륙에 펭귄이 사는 곳을 특정할 순 없지만 펭귄을 보려면 남극 대륙에 가야 했다.

"가서 아무것도 하지 않고 돌아와도 돼." 내가 그에게 마지막으로 차분하게 얘기했던 말이다.

하나 어째서인지 그는 내가 솔즈베리에 가는 것을 극도로 반대했고, 결국 언성이 높아져 말싸움으로 번지게 되었다. 그에게 솔즈베리로 가겠다고 한 것은 실수였다.

그렇기에 자고 있는 장발 몰래 솔즈베리로 킹스크로스역으로 향하기로 한 것이다. 늦게 일어나는 그의 특성상 8시까지 여유가 있었지만 그 시간엔 기차가 없어 지금이 유일한 시간이었다. 킹스크로스역에 다시 오니 그 느낌은 새로웠다. 처음 흑향기를 마주한 곳도 이곳이었고, 금발머리에게 죽을 뻔했던 곳도 이곳이었다. 여러모로 안 좋은 기억만 있었던 곳은 역시나 사람들이 바글대는 쪽이 더 어울렸다.

오래된 천 가방엔 교통비와 한 끼 식사비, 옷가지, 그리고 피에르 씨의 책인 <도피>를 챙겼다.

6시 반 열차에도 꽤 많은 사람들이 북적였고 어느새 하늘은 개여 해가 떠오르고 있었다. 증기를 내뿜으며 큰소리와 함께 움직이는 열차는 아침부터 세상 분주한 사람들을 태우고 솔즈베리로 출발했다.

열차가 이동하는 한 시간 반 동안은 그나마 홀로 여유를 즐길 수 있었다. 무료로 제공되는 음료 서비스에 감탄하며 감상하는 홍차를 곁들인 영국의 풍경은 복잡하고 높은 건물들이 빽빽한 런던의 도심과는 사뭇 다른 향기가 자연과 어우러진 채 내 눈을 즐겁게 했다.

'기억의 날' 이후 처음으로 다른 도시로 나가보는 거라 기대감과 설렘, 그리고 솔즈베리로 간다는 사실에 알 수 없는 두려움이 공존하는 이상한 감정을 느꼈다. 런던에서 끔찍했던 3년 하고도 3개월을 보내며 그 짧은 사이에 내 앞에서 너무나 많은 사람들이 죽고 나 또한 죽을 위기를 몇 번이나 넘겼지만 그런 경험들도 결국엔 내가 성장할 수 있는 밑거름이 된다는 사실은 부정할 수 없었다.

죽음에 대해 감정 따위 느끼지 않던 내가, 일상에서 사라진 로즈를 그리워하다 쓰러지기까지 한 내가 이제는 모든 것을 극복해 내었고, 앞으로 비슷한 불행이 닥쳐와도 전보다는 더 오래 버텨낼 거라 확신했다. 물론 로즈가 더 이상 그립지 않은 건 아니다. 사실 여전히 보고 싶으며, 내 유일한 좋은 추억에서 굳건히 자리를 지키던 이를 어떻게 잊겠는가. 하지만 성장을 이유로 더 이상 이런 안 좋은 기억들을 반기고 싶진 않았다. 이제는 좀 평범하게 살고 싶었다. 단지 그걸 바랐을 뿐이다.

솔즈베리는 공기마저 런던과는 다른 느낌이었다. 열차에서 내려 솔즈베리에 첫 발을 내딛는 순간 느낀 옛 향기는 내가 이곳에 오길 잘했다고 몇 번이고 되뇌게 했다. 그 뒤로 고향을 찾는 일은 그리 오래 걸리지 않았다. 에녹이 적어주었던 주소로 이동하다가 조금이라도 배를 채우기 위해 방문한 근처 카페에서 익숙한 얼굴을 만났으니까.

"다니엘?" 브로디는 날 보더니 마구 손을 흔들며 얼굴에 반가움을 숨기지 못했다. "솔즈베리로 돌아온 거야?"

"그건 아니고 잠깐 놀러 왔어. 곧 이사 오려고."

그와 손을 맞대 움켜쥐자 브로디가 손을 위아래로 크게 흔들고는 날 바로 밖으로 데리고 나갔다. 그렇게 이후 몇 시간은 뭘 먹지도 못한 채 브로디에게 이끌려 이곳의 작은 마을을 돌아다녔다. 처음 보지만 익숙한 것이 내가 자라던 동네가 틀림없었다. 그는 신나서 날 이곳저곳으로 데리고 다녔고, 닌 어렸을 적 그들과 놀았던 내 모습을 상상하며 이 상황을 즐겼다.

"이 서점은 저번 주에 문을 닫았어. 네가 항상 피에르 씨의 책을 샀던 서점이었지만 작년 사장님이 돌아가시고 그 집안형편이 어려워졌대." 브로디가 안내했다. "사장님은 네가 사라지고 난 뒤로 널 다시 본다면 선물로 주겠다고 피네트 소설집 전권을 항상 순비해 놓으셨는데. 안타깝지."

불 꺼진 서점의 문은 굳게 닫혀있었고 그 내부는 썰렁했다. 주인 없이 남겨진 책들에서 이름 모를 사장님의 죽음에 대한 아픔이 느껴졌다.

브로디는 곧바로 다음 장소로 이동했다.

"여긴 골동품상점. 네가 여기서 시계를 잔뜩 샀었지. 우린 널 시계에 미친 사람이라고 생각했었고. 한번 꽂히면 널 말릴 사람이 없었어."

"오길 잘했어." 내가 말했다.

브로디는 웃음으로 대답하고는 날 외딴곳에 있는 강가로 데려갔다. 그러고는 또 설명을 이었다.

"7살 즈음, 넌 여기에 빠졌었어. 물에 왜 들어갔는지는 아무도 못 봐서 너만 알고 있었는데 이젠 아무도 모르게 됐네. 우리 도움으로 겨우 빠져나온 넌 백야 부인에게 달려가서 에버린이 강가에서 죽을 뻔했다고 말했었지." 그가 어처구니없다는 듯 웃었다. "그래서 에버린은 꽃밭에서 꽃을 따다가 일주일 동안 외출을 못하게 됐고. 난 아직도 기억나. 하하."

브로디는 웃음을 터뜨렸다. 그의 얼굴엔 행복이 가득했다.

"나빴네. 내가 그랬다고?" 그의 말에 맞장구쳤다.

"그때부터였지. 너한테 특이한 습관이 있단 걸 알게 된 게." 브로디의 여운이 잔뜩 남는 목소리가 그의 감정을 전달해 주었다. "넌 어려서부터 네가 겪었던 일을 남이 겪은 양 말하고 다녔어.

그 뒤로도 자주 그랬고. 지금 생각해도 웃기고 귀엽단 말이지."

눈앞에 펼쳐진 넓은 호수에 내 어릴 적 모습을 상상했다. 우리 말고는 아무도 없는 이 구릉의 꼭대기에서, 일상의 소소함을 즐기며 뛰어노는 어린 소년을 나는 흐릿하지만 선명하게 보았다.

"1887년 9월."

1887년 9월이라면 지금으로부터 3년 하고도 4개월 전이다. 난 그때를 기억하고 있었다. 나의 첫 기억이자 모든 게 혼란스러웠던 '기억의 날'은 이 모든 이야기의 출발점이었다.

"9월?"

"기억을 전부 잃고 잠에서 깼던 때야. 이때 이전으로는 기억나는 게 없어."

"생각보다 오래됐네." 브로디가 안타까워하는 목소리로 말했다.

"안 믿겠지만 죽는다는 걸 수도 없이 경험해 왔어. 교도소도 갔다 왔고."

그레이스가 죽고 금발머리를 죽였던 일, 로즈 씨가 알 수 없는 이유로 죽어 큰 절망감에 휩싸였던 일, 호세가 나를 살리려 코번트리 백작과 함께 달리는 열차로 몸을 당겼던 일, 그 일의 여파로 교도소에 수감되었다가 나온 일까지 전부 3년 동안 내게 일어났던 일이다. 내가 바로 안 좋은 일은 한꺼번에 몰아서 닥친다는 말의 좋은 표본이었다.

"그래서 이곳에 온 거야. 좋은 기억을 하나라도 더 찾으려고. 그것이 자체가 얼마나 가치 있는지 아니까." 그리고 이것은 내가 갈구하던 일상이었다.

거센 바람에 무성하게 자란 풀들이 푸른 소리를 내며 제각각 흔들렸다.

"같이 사는 친구가 하나 있는데, 아무리 봐도 정상은 아니야. 걔는 내가 기억 찾는 걸 싫어해. 숨기는 게 있나 본데 뭔지는 모르겠어." 풀숲에 털썩 주저앉았다. "이쩌나 보니 나도 변한 것 같아. 마음 가는 대로 살기로 마음먹었었는데."

"아냐. 오히려 난 이게 더 익숙해. 네가 솔즈베리에서 사라지기 전까지만 해도 넌 쉽게 욱하고 쉽게 울고 쉽게 웃는 사람이었어." 브로디는 바람에 흔들리는 풀이 발목을 간질이는 것이 거슬렸는지, 발목을 자꾸 만져댔다.

"나도 이렇게 변하는 내 모습이 익숙하지가 않아. 네가 아니었다면 난 아직도 나를 클로드라고 소개하고 다녔을지도 모르지."

여행을 끝마치고 돌아오는 열차에선 〈도피〉를 꺼내 읽었다. 기차 안을 들쑤시는 붉은 노을에 공기마저 불그스름해진 듯한 곳에서 현실에 지쳐 도피를 강행하는 어느 극작가의 이야기를 읽는 것은 소소하지만 고요하고 좋았다. 덜컹거리는 열차소리와 이따금씩 들려오는 증기기관 내뿜는 소리는 종잇장 넘기는 소리와 함께 어우러져 귓구멍으로 들어와 감성을 자극해댔다.

육체적 도피와 정신적 도피에는 큰 차이점이 있다. 무언가로부터 도망하여 몸을 피한다면 최소한 안정은 확보되는 셈이지만 마음만 도피하는 것은 쉽게 말해 안정 속에 있다고 스스로를 속이는 것과 같다. 〈도피〉의 주인공인 어느 극작가는 그것을 깨닫는 데에는 꽤나 오랜 시간이 걸렸고, 결국에 극복하는 수밖에 없다는 걸 깨달았지만 그가 큰 변화를 보여주진 못했다. 옛 동료들이 너무 그리워 뿔뿔이 흩어진 뒤에도 그들을 잊지 못하고 새로운 삶에 정착하며 자신을 잊은 그들을 오히려 원망스러워 한 그 극작가에게, 나는 뭐라고 할 수 있었을까. 그를 과거에 얽매인 채 새 환경에 적응하지 못하는 환자라고 말할 수 있을까? 집에 틀어박혀 옛 기억만을 대본으로 적어내며 정신적 도피를 감행한 그가 잘 버텨낸 거라고 할 수 있을까?

난 요즘 외로이 하루하루를 살아가며 생활고에 시달리는 현실에 옛 기억조차 없는 게 지칠 때가 많다. 좌절감에 몇 번이고 무너져 내렸지만 결국엔 다시 일상으로 돌아간다는 것. 인간은 적응의 동물이라 그렇다 하지만 그 과정을 버티지 못해 끝내 무너지는 것은 내겐 큰 악영향으로 다가오는 듯했다.

그렇게 생각보다 만족스러웠던 솔즈베리 여행은 빠르게 끝나고 오후 6시가 되자 열차는 킹스크로스역에서 멈췄다. 솔즈베리 참사에 대한 정보는 하나도 듣지 못했지만, 아무렴 어떠한가.

집에 오자마자 다시 시계를 만들어 파는 일에 열중했다. 솔즈베리로 이사 갈 때까지 하루에 한 끼만 먹고 열심히 돈만 벌겠다는 다짐도 함께.

솔즈베리로 돌아가면, 로즈 씨와 장발은 잊고 다시 새 삶을 사는 거다. 그들은, 잠시 스쳐가는 사람들이었던 거다.

*

이튿날엔 홀로 불 꺼진 방에 틀어박혀 기껏해야 3년 남짓인 인생을 되짚어보았다. 기억들을 되짚어보며 지금껏 느껴왔던 감정들을 종이에 그대로 옮겨 적었다.

1887년 9월, '기억의 날', 새로운 기억이 시작되던 그날에 나는 무엇을 했던가? 무작정 달려간 기차역에서 나는 누구를 조우했던가? 살인? 그것은 정당했던가? 그레이스의 죽음은 조금 슬펐던 것 같기도 하다. 그러나 그런 감정 따위를 느낀 것은 그 이후였다. 그전까지 죽음에 대해 아무 감정도 없어서, 그저 장발이 시키는 대로 움직이던 내가 사람들이 필연적으로 느끼는 감정을 터득한 것이었다. 그러나 감정이란 것을 느낄 수 있게 되자마자 우울증에 걸려버린 것, 그게 나였다.

잉크 펜이 자비 없이 긁어 내린 종이에는 빈 공간이 꽤나 많았지만 그 끝부분은 그렇지 않았다.

인생에서 가장 많은 사람들을 만났던 세인트 케이든 연회는 어쩌면 큰 전환점이 되었는지도 모른다. 물론 그 끝은 아름답지 않았지만 주변의 따뜻한 이웃의 존재를 내게 알려준 것만으로 살아가는데 큰 힘이 되었으니까.

하나 이미 너무 많은 사람들이 죽어버린 탓에 그들을 전부 기리기에도 벅찼다. 나는 가끔 스스로를 저주라고 생각하곤 했다. 나를 만났던 사람은 전부 죽어버렸으니 이것이 저주가 아니라면 나 자신의 존재조차 알 수 없는 이가 되어버리는 것이었다. 돌이켜 보면 남은 것은 후회뿐이었다.

런던에 홀로 뚝 떨어져 버린 내가 돌아가야 할 곳은 솔즈베리였다. 그곳에선 내 정체성을 찾을 수 있을 듯 보였으니까. 만약 장발이 끝까지 반대한다면 난 그를 이곳에 놓고 갈 생각이었다. 그가 지속적으로 환각으로 보인다면 난 스스로 정신병원의 낡고 커다란 대문을 열어버리겠지.

그리고 내가 해야 할 일은 솔즈베리를 꿈꾸며 미친 듯이 돈을 버는 것이었다. 적어도 그곳에서 생활을 이어나갈 수 있을 정도로.

낮 12시엔 하루 중 처음이자 마지막으로 끼니를 때우고 집을 나섰다. <하이드> 원고를 다시 볼 겸 피에르 씨의 생가를 찾아갔으나 낡은 소파 위에 누워 몸살에 떨고 있는 빈트 씨를 가장 먼저 마주하게 되었다. 한숨을 내쉬면 입김이 선명할 정도의 추위였다. 빈트 씨는 이불로 몸을 꽁꽁 싸맨 채로 자다가 눈을 뜨고 나를 발견했다. 그의 시퍼런 아랫입술이 벌벌 떨리는 것이었다.

빈트 씨가 왜 이렇게 런던에서의 여행에 집착하는지는 전혀 알 수 없는 대목이었으나 결과적으로 그의 목숨이 위험하다는 것은 명백했다.

여기는 호텔이 아니라고 하자 한쪽 벽이 무너져 서풍이 그대로 들어와도 저녁엔 노을을 볼 수 있다는 그의 말엔 어이가 없었다. 얼어 죽어도 낭만이라는 사람과는 더 이상 대화가 통하지 않을 듯했다.

"물이라도 끓여드려요?"

"레인지 고장 났을 텐데요. 주전자는 있는데." 빈트 씨가 말 말 한마디에 기침 한 번을 섞었다.

빈트 씨의 반쯤 잠겨버린 목소리는 듣는 내가 다 기운 빠지는 목소리였다. 차갑게 얼어버린 그의 어두운 피부는 여러 군데에 상처도 가득한 상태였다. 손가락 끝은 왜 이렇게 상했냐는 질문에 그는 음악을 사랑하는 자에게 오는 책임이라 답했다.

"얼어 죽으려고 작정했어."

"그래도 혼자보단 둘이 낫네요."

"같이 노을 보다가 죽을까요?"

"낭만 넘치네요. 많이 늘었어."

나는 그와 쓸쓸한 농담을 주고받으며 모닥불을 피우기 위해 마당으로 나갔다. 그래도 정말 내가 그를 찾아오지 않았다면 그는 혼자 죽었을지도 모른다. 어째서인지 단순한 감기라며 병원은 극히 거부하는 그였다.

장작을 모아 성냥으로 불을 붙이자 뜨거운 불이 장작 위에서 활활 타올랐다. 빈트 씨의 양은주전자에 눈을 퍼 담고 나뭇가지로 지지대를 세워 불 위에 올려두었다.

"나오세요. 불을 피워서 밖이 더 따뜻해요." 나는 이렇게 말하며 손으로는 불구덩이 안으로 장작을 던지고 입으로는 있는 힘껏 불어댔다.

그는 무거운 몸을 이끌고 엉금엉금 기어서 밖으로 나왔다. 모닥불 주위에 둘러앉아 있는 게 한 달 전과 똑같았다. 감옥에서 나온 지 얼마 안 된 나의 친구가 되어주던 빈트 씨가 한없이 고마웠던 그때가 다시 그리워졌다.

"이제 가셔야죠."

"성냥도 이제 하나 남았어요. 이거까지 쓰고 돌아가려고요." 시간이 조금 흐르자 빈트 씨가 성냥갑을 만지작거렸다.

"돈 있어요? 기차 타고 돌아가게요?"

"예술가는 가난한 법이에요."

"이러고만 사니까 가난하지."

이런 데서 노숙이나 하고 있는 그가 돈이 있을 리가 만무했다. 때문에 나는 그에게 표를 사서 역으로 바래다주기로 약속했다. 그를 위해서 표를 사는 돈 정도는 아깝지 않았다. 가장 의문인 건, 그가 지금까지 어떻게 배를 채워왔냐는 것이었다.

"감사해요. 내일이나 떠나려고요." 그가 멋쩍게 웃으며 말했다. "마지막 성냥은 내일 아침을 위해…."

"하룻밤을 더 자겠다고요? 여기서?" 병원도 안 가려는 그가 하룻밤을 더 묵겠다는 말에 큰 걱정이 앞섰다.

빈트 씨는 정말 무슨 생각을 하고 있던 것이었을까.

"즐기세요. 괜찮아요, 안 죽어."

"내일이면 변사체로 발견되실 것 같군요. 저희 집에서 주무시고 가실래요?"

"괜찮다니까요. 그걸 한번 더 보고 싶을 뿐이에요."

빈트 씨는 그저 끓인 물을 컵에 따라달라고 요청할 뿐이었다. 나는 아무 말 없이 빈트 씨의 가방에서 머그컵을 꺼내 물을 보글보글 끓는 물을 따랐다.

"그걸 한번 더 봐요?"

"있어요. 이따가 보여드리죠." 그의 입가에 미소가 번졌다.

"런던에 온 걸 후회하시나요? 잔뜩 고생하시고 계시는군요."

"…그 답은 나중에 할게요."

빈트 씨는 뜨거운 물을 들이켜는데 정신을 쏟고 있었다. 조금이라도 더 많이 마시면 바로 혀와 입천장이 데이는, 아주 높은 집중력을 필요로 하는 행동이었으니까. 그의 홀짝거리는 소리가 모닥불 소리와 어우러져 차가운 바람소리를 덮었다.

시간은 오후 5시를 향해갔다.

"짐 가방에 감자 몇 개 있어요. 구워서 먹죠." 빈트 씨가 말했다. "내일이면 떠날 거니 더 이상 남겨둘 필요도 없죠."

"몇 주째입니까?" 내가 그의 가방에서 감자 두 개를 가져오며 물었다.

모닥불 주위로 돌아오는 중간에 커다란 돌부리에 걸려 넘어지는 바람에 감자 하나를 놓쳐버렸지만 빈트 씨가 공중에서 잡아냈다.

"벌써 두 달째죠. 이제 정말 돌아가야 해요. 그렇지만 지금은 너무 늦었네요." 그가 나른하게 말했다. "정말로 내일 가죠."

"왜 아까 가지 않은 거죠?" 내가 물었다.

빈트 씨가 내일 떠난다면 내일 약속된 시간에 다시 나와 킹스크로스역에서 표를 끊어야 하는 번거로움이 따랐다. 물론 빈트 씨가 하루라도 더 런던에 있는 것은 좋았지만 내가 그를 리버풀로 다시 보내려는 것은 돈도 없고 감기에 걸린 그의 건강이 더 우선시되어서였다.

빈트 씨는 내 질문에 아무 말도 없었다. 오히려 그는 내 눈을 피했다. 그러나 그의 시선 끝엔 아름다운 무언가가 펼쳐져있었다.

낮게 뜬 해에서 뿜어져 나오는 노랗고 붉은빛이 눈밭을 보랏빛으로 물들였다. 까맣게 변해버린 나무들은 저마다 자리를 지키며 드넓은 하늘 이곳저곳을 채우며 하나의 배경이 되었고 강렬한 햇빛으로 인해 많이 대비되는 빛과 어둠이 하늘과 땅을 구분 지었다. 무엇보다 추운 겨울을 따뜻하게 데우는 느낌의 노을이었다. 이를 한마디로 응축하여 표현한다면 황홀함이었다.

"볼 때마다 새롭죠." 빈트 씨가 중얼거렸다. "제게 있어 눈 쌓인 산에서 노을을 보는 것은 세상이 주는 유일한 선물입니다."

"이유를 알겠네요." 내가 노을에서 눈을 떼지 못하며 말했다. "저는 빈트 씨가 가더라도 나중에 이곳을 다시 찾아올 거 같군요."

"이걸 한번 더 보고 싶었어요. 하지만 이젠 정말로 가야 해요. 아, 사진기를 안 가져왔네."

모닥불과 함께한 노을은 지금까지 내가 본 것들 중 가장 멋있었다. 그도 그렇게 기억을 전부 잃어버린 '기억의 날' 이후로 음지에서 흑향기와 씨름만 하지는 않았는가. 인생에서 이렇게 평화로웠던 순간이 얼마나 될까.

"근데 제발 이런 건 집에서 보세요. 목숨 걸 정도는 아니잖습니까." 내가 말했다.

"항상 새로운 무언가가 필요해요. 이번 일들은 전부 경험을 쌓이는 거죠." 빈트 씨가 답했다.

감자를 불에 구웠다. 바싹 익은 감자에선 뜨거운 김이 한없이 올라갔다. 그와 하나씩 나누어 정신없이 먹어치웠다. 어느 하나 빠지지 않은 순간이었다. 입에는 구운 감자가, 피부엔 온기가, 귀에는 모닥불소리가, 코에는 겨울향기가, 눈에는 노을이, 그리고 옆에는 친구이자 동료가 이 시간을 채웠다.

"이게 낭만이죠. 전 이걸 찾았어요." 빈트 씨가 말했다.

우린 그렇게 시간 가는 줄도 모르고 담소를 나눴다. 빈트 씨의 마지막 밤을 그가 잠들기 전까지 함께 할 생각이었다. 모든 것이 아름다웠다.

"이것도 하나의 추억으로 남을 거예요." 빈트 씨가 말했다. "나중 가서 이때를 그리워하기 전에 지금 충분히 만끽하세요."

해가 저물어서야 우리는 폐가 안으로 들어갔다. 낡은 스툴에 앉아 펼쳐본 <하이드>는 양초 위에서 작지만 열정적으로 타오르는 불빛으로 인해 붉게 물들었다. 많이 훼손되어 내용 일부는 알아볼 수 없을 정도였지만 그나마 읽을 수 있는 글자들에선 이름 모를 비릿한 냄새가 올라왔다. 피에르 씨의 필체가 알 수 없는 생생함을 전달해 주었으며 나중에 그를 만난다면 반드시 책의 출간을 빌 것이었다.

잔뜩 구겨진 원고지를 손으로 꾹꾹 눌러가며 피면서, 나는 보존된 마지막을 읽어 내려갔다.

「…그 분노와 야망은 전부 그의 손끝으로 전달된 것이었다. 그간 권력을 쥐던 검사의 인생은 그런 벽돌로 끝을 맺은 것이었다.」 순간에 루카스는 느꼈으리라, 상처가 나도록 벽돌을 세게 움켜쥔 손에서부터 흘러오는 전율을. 벽돌이 검사의 머리를 파고들 때, 루카스는 이전을 청산하고 미래를 포기했던 것이었다. 바닥을 흥건히 적신 피 속에서 그는 마지막 자유를 느꼈다. 길고 길었던 복수극과 억압의 도주극은 드디어 막을 내렸고, 그토록 갈구하던 것을 얻은 것이었다.」

나 역시 언제쯤 막을 내릴지 모를 인생의 방황을 끝내고 잠에 들고 싶을 뿐이었다. 마음속의 짐을 덜어내고 물불 가릴 것 없이 열심히 살 수 있다면, 소설의 루카스처럼 뭐든 마다하지 않을 자신이 있는지는 나 스스로도 알 수 없었지만 이런 인생을 계속 살기보단 나을 것이었다.

얼굴조차 모르는 부모님과 죽음을 목격한 누나, 왜 죽었는지조차 모를 로즈 씨, 구사일생으로 죽음 앞에서 두 번이나 살아남고 누명으로 들어간 교도소까지. 3년 만에 이런 일을 겪고도 내가 미쳐버리지 않은 까닭은 아마 이미 미쳐버린 사람이었기 때문일 것이었다. 기억을 잃었다는 것은 어쩌면 이런 인생을 예고한 하늘의 축복이었을지도 모른다. 하나 이것이 내 인생의 구원이 되진 못했다.

좁지만 따뜻하게 하룻밤을 보내기엔 충분히 아늑한 지하실에서 먼지 턴 이불을 펼쳐놓은 빈트 씨는 부엌으로 나오며 이곳보다 모닥불이 있는 야외가 훨씬 따뜻하다고 했다. 때문에 나는 집으로 돌아가기 전에 꺼져가는 모닥불을 살리기 위해 장작을 구하기 위해 밖으로 나왔다. 여분의 장작들을 주변에 두어 심야 중에도 빈트 씨가 장작을 보충하기에 편하게 하려 했다.

하나 연속되는 거센 바람과 함께 희미한 발소리를 인지했을 땐 당황스러움에 저절로 숨을 참았다. 이 시간엔 올 사람이 없는 데다 이곳 역시 올 사람이 없었으니까.

발소리의 주인은 모습을 드러내기도 전에 그 불안함을 키우며 다가왔다. 어느 작은 동물이 고통스러워하며 울부짖는 소리와 함께 그는 이쪽으로 다가왔고, 곧이어 그 소리가 멎자 가득 쌓인 눈밭에 무언가 툭 던져지는 소리가 났다. 누군가 동물을 죽이며 들어오는 소리였다.

이윽고 깔끔하고 긴 코트차림에 페도라까지 눌러쓴 키 큰 남자가 들이닥쳤는데, 하나 특이점이 있다면 뼈를 깎아 만든 까마귀 형태의 가면으로 얼굴을 가렸다는 것…. 그가 모습을 드러내자 분위기가 순식간에 무거워졌다.

곧바로 그 남자가 흑향기 신도라는 것을 눈치채고, 나는 나무 뒤에 숨어서 폐가로 천천히 걸어 들어가는 그의 모습을 엿보았다.

그는 괜히 헛기침을 했다. 걸쭉하고 낮은 목소리였다. 정체를 알 수 없는 그 남자는 그 존재만으로 엄청난 심리적 압박과 무서운 분위기를 조성했다. 혼자인 듯하였으나, 그 걸음걸이와 존재감은 그가 단순한 일반신도가 아니라는 것을 직감케 했다.

남자가 집 안으로 들어서자 그의 뒤를 쫓아 밖에서 집안을 몰래 들여다보았다. 집 안에는 아직 빈트 씨가 있었지만 다행히 그도 눈치껏 빠르게 숨은 것 같았다.

시간이 지날수록 자기 집인 마냥 두르고 있던 목도리를 벗어

바닥에 던져두고 낡은 스툴에서 편하게 쉬는 모습은 남자가 이 장소에서 무언가를 꾸미고 있을 것이라는 의심을 들게 하였다. 누군가를 기다리는 것 같아서 금방 자리를 뜰 것 같지는 않았다.

난 계속 빛 하나 없는 어둠 속에서 그를 관찰했다.

남자는 성큼성큼 걸어가 이불장을 열어보았다. 아직까지 그가 집에 자신 말고 다른 이가 있다는 걸 알고 찾아내려는 움직임은 없었다. 그러나 그는 〈하이드〉 원고의 존재를 알고 있는 듯했다.

…잠깐, 원고를 제자리에 두었던가? 그 순간에 떠오른 치명적인 자문은 당혹스러움과 함께 뇌의 사고를 잠시 멈추게 만들었다. 침입의 흔적을 그대로 둔 채 숨어버린 것이다. 차라리 혼자였다면 이대로 도망쳤겠지만 안에는 빈트 씨가 여전히 숨어있어 혼자 떠날 수도 없는 노릇이었다. 나야 곧바로 도망가면 되겠지만 지하실에 꼼짝없이 갇혀버린 빈트 씨는 남자가 그곳의 바닥 문을 열지 않기를 빌어야 했을 것이다. 지금 들어가서 원고를 제자리에 돌려놓는 것은 말 그대로 미친 짓이었고, 그렇다고 도망치자니 빈트 씨의 목숨이 위험한 상황인 것이었다.

정적이 흐르더니 그 남자가 돌변하여 다급하게 집을 뒤지기 시작했다. 정신없이 숨느라 제자리에 갖다 두지 못한 원고를 찾고 있는 중이라면 좋았겠지만, 곧이어 부엌에서 들려오는 빈트 씨(몰래 탈출하려다 남자에게 발각된 것으로 추측했다.)의 비명소리는 나를 더 공포로 몰아넣었다. 판단력이 흐려지고 마음만 급해져 갔지만 이미 늦었다는 걸 깨달은 그 시점에서 할 수 있는 것이라곤 없었다.

곧바로 마당으로 달려 나가 도움이 될 만한 도구를 찾았다. 부서지며 떨어져 나온 조각상의 파편이나 날카롭게 꺾인 나무줄기라도 좋았다

다급함에 몸과 마음은 분주했지만, 어두운 밤에 가로등 하나 없는 마당에서 더듬으며 그런 물건들을 찾는다는 것은 꽤나 어려웠다. 어둠 속을 더듬다가 쓸모없지만 날카로운 것들에 베여 생긴 상처도 적지 않았다.

빈트 씨는 생각보다 오래 버텼다. 물론 남자와 맞서 싸웠다는 것은 아니고 죽지 않고 비명소리가 오랫동안 유지되었다는 뜻이다. 그러나 그의 비명소리가 언제 멎을지는 아무도 모르는 것이었다.

마당 외각, 커다란 나무에 꽂혀있던 도끼를 운 좋게 찾아 곧바로 집안으로 뛰어 들어갔다. 도끼로 사람을 찍는다는 끔찍한 일은 실행하기도 무서웠지만 빈트 씨를 돕기 위해 도끼를 치켜들고 과감히 남자에게 달려갔다.

빈트 씨는 그를 사정없이 구타하는 남자에게서 여전히 버티고 있었다. 머리를 보호하려 힘을 다해 두 팔을 희생하고 있는 빈트 씨의 모습은 흡사 코번트리 백작이 든 칼에 찔리지 않기 위해 악으로 버텨낸 3년 전 나의 모습 같았다. 그렇게 난 남자를 향해 도끼를 치켜들고 달렸다. 물론 도끼날로 내려찍을 생각은 아니었고, 도끼날의 묵직한 뒷면으로 그의 머리를 후려갈겨 기절시킬 생각이었다. 그리고 남자의 등 바로 뒤로 접근하는 것은 그리 어렵지 않았다.

퍽!

그렇게 있는 힘껏 도끼로 그의 머리를 내려쳤다. 그 남자는 여전히 빈트 씨를 구타하다가 큰 소리에 달려오는 소리를 듣고 뒤돌아보긴 했지만 미처 반응하지 못했다.

도끼는 그의 정수리에 명중했다. 빈트 씨가 놀라서 더 크게 비명을 질렀다. 남자는 도끼를 맞고 잠시 휘청거리더니 그대로 쓰러지는가 싶다가도 다시 중심을 잡고 묵묵히 일어섰다. 그는 곧 페도라를 고쳐 썼다. 이걸로 기절하지 않았으니 이제는 도끼 날로 내려찍을 수밖에 없다고, 그와 눈이 마주치는 순간에 나는 생각했다. 남자의 까마귀 가면 너머로 느껴지는 그의 섬뜩한 눈빛에서 두려움이 몰려왔다.

이 집은 외딴곳에 있는 집인지라 누군가가 우리를 구하러 오는 상황은 기대조차 할 수 없었다. 빈트 씨는 이미 만신창이가 되어 탈진하여 쓰러졌다. 죽었는지는 모른다.

나는 남자가 온전히 중심을 다 잡기 전에 한번 더 그에게 도끼를 휘둘렀다. 그의 머리가 두 동강 나든, 될 대로 되라는 심정이었다.

푹!

힘껏 휘두른 도끼날은 아덴타의 얼굴을 강타했다. 두려움에 휘두르는 순간에 눈을 질끈 감았는데, 묵직한 것이 도끼날에 찍혀 그대로 바닥으로 떨어지는 느낌이었다.

순간에 든 희열감은 상상을 초월했다. 사람을 죽였다는 현실도 잊게 만들 정도로. 이 지경이 되도록 사람을 죽이는 것을 아무렇지 않게 생각하게 된 나였다. 도끼를 휘두른 그 순간에 바닥에 주저앉았다. 지친 몸과 마음에 그럴 수밖에 없었다.

그러나 곧 내 몰아쉬는 숨소리 너머로 희미하게 라이터소리가 들리더니 천천히 타들어가는 불꽃이 시가 끝에 붙는 소리가 이어졌다. 곧이어 퍼지는 자욱한 담배연기….

어라?

머릿속이 하얘지는 상황 속에서 고개를 돌려 옆을 보았다. … 그곳에는 머리에서 피를 뚝뚝 흘리는 채로 우두커니 서서 시가를 입에 물고 한껏 빨아들이고 있는 아덴타가 페도라 안쪽에서부터 얼굴로 흐르는 피를 닦아내며 나를 지긋이 바라보고 있었다.

도끼날에는 그의 끈 풀린 까마귀 가면이 박혀있었다. 검은 가죽으로 만들어진 그 가면이 먼저 도끼에 박혀 그 얼굴에서 벗겨져 바닥으로 떨어진 것이다.

맙소사…. 처음으로 마주한 남자의 얼굴은 가히 그 당혹스러움을 숨길 수가 없었다. 잔뜩 늙은 주름살 많은 얼굴, 이제는 잔뜩 처진 눈매, 입을 가릴 정도로 자란 콧수염.

그 남자는 희대의 소설가, 피에르 씨였다.

"…자정이 넘은 시간엔 집밖으로 나오지 말 것. 사람들은 입을 모아 그렇게 말하더군." 흑향기 교주인 피에르, 아니 아덴타가 갑자기 중얼거렸다.

그리고는 무거운 발걸음을 옮겨 닫아봤자 의미 없는 현관문을 쾅 닫고 녹슨 걸쇠까지 걸어 잠갔다.

"그리고 그런 규칙이 하나 더 있자면…."

그렇게 기색도 없이 갑자기 달려들면 누가 반응할 수 있을까. 그가 커다란 바람소리와 함께 옆으로 휘두른 낫날이 오른쪽 옆구리에 깊게 박혔다. 순간적인 고통에 정신이 아찔했고 아덴타가 낫을 빼자 피가 많이 흘렸다. 낫 휘두르는 묵직한 소리가 귀에 박혀 순간의 고통을 더한 것 같았다.

"…낫으로 인하여 배가 찢어지지 않게 각별히 주의할 것." 그가 낮을 허공에 빙빙 돌리며 중얼거렸다. "맞아, 이거였네. 뭘 좀 안다니까. 그래도 잘 피했네. 옆구리는 잘 안 찢어지는 부위일세."

필사적으로 옆구리를 손으로 꾹 눌러 지혈을 했다. 아픔을 잊으려 노력했지만 혼란스러운 와중에 그런 것에 집중을 할 수가 없었다. 곧 죽겠구나, 직감했다. 적어도 멀쩡히 돌아가지는 못할 듯 보였다.

"…주거지역에 절대 발을 들이지 말 것. 이건 내가 직접 했던 말일세." 아덴타가 다시 한번 말을 이었다.

그는 입에 시가를 물고 있던 탓에 발음이 많이 뭉개졌다.

"설마설마했는데 진짜였군, 클로드. 좀비는 잘 지내던?" 그가 말했다. "우리 손에 잘 죽지도 않던데. 아직도 팔팔하겠군."

아덴타는 분명히 신문물을 통해 호세의 사망소식을 접했을 거다. 그의 말엔 조롱이 한껏 담겨있었다.

사실 생각해 보면 당장에 희망은 없었다. 깜깜한 밤에 깊은 숲속인지라 외부인은 없지, 날 도와줄 사람도 없지, 옆구리가 날에 크게 베인 채로 그와 실랑이를 벌인다 한들 이뤄지는 것은 없었다. 그저 몇 초 더 목숨을 부지하는 것뿐이다. 빈트 씨는 아직도 바닥에 쓰러진 채 미동도 없었다.

아덴타는 끔찍한 통증에 비틀거리는 나의 왼쪽 옆구리를 향해 낫을 한번 더 휘둘렀다. 그 순간엔 더 큰 소리와 함께 신경이 마비되는 느낌을 받았다. 너무 큰 고통이 따르면 순간에 고통이 느껴지지 않는다는 말을 단번에 이해하는 순간이었다. 동시에 양쪽 옆구리에서 흐르는 피는 멈출 생각을 안 했다. 다리에 힘이 안 들어가고 그 자리에 주저앉았다. 몸에선 피와 기름이 줄줄 새고 있었지만, 그것들을 전부 지혈하기에 두 개밖에 없는 손과 남은 힘은 역

부족이었다.

"새로운 영감이 필요해." 그가 낫 휘두르기를 멈추고 내게 다가오며 말했다. "사실 자네가 필요하단 말일세."

그가 무슨 말을 하고 있는지는 머리에 들어오지 않았다. 그 시간 동안 내 머릿속은 살아나갈 방법을 궁리하느라 과부하되어있었다.

"잘 가세. 덕분에 루카스처럼 후회 가득한 밤이 되지 않았네. 지금 죽어가는 그 기분, 잘 기억해 뒀다가 지옥에서 마주하면 꼭 내게 전해주게. 자네만 아는 경험일 테니 말이야. 거기서도 글쓰기를 멈추지 않을 생각이네. 좋은 글거리가 되겠군."

그는 이 말을 끝으로 힘을 주어 자기 낫을 부숴버렸다.

"이 집말이오. 쓰지도 못하는데 어차피 철거할 생각이었소. 좋은 장소로 개발을 마치면 자네의 이름을 올려두겠네." 그가 물고 있던 불붙은 시가를 바닥에 던지며 말했다. "이쯤에서 그만두려는 게야. 피를 더 보는 건 이제 지루하잖소."

시가는 먼지 쌓인 카펫에 떨어지더니 곧 큰 불로 옮겨 붙었다. 아덴타는 그 상황에서도 느긋함을 유지하며 거실 한가운데에 의자를 끌고 와 거기에 앉았다. 불은 조용히, 점점 커지며 타는 냄새가 지독해졌다. 그 불은 순식간에 집 전체를 뒤덮었다.

"<하이드>는 재미있게 읽어보았는가? 그 책도 이런 식으로 쓴 걸세. 많은 친구들이 도와주었지." 아덴타는 이렇게 말하고 주위를 한번 둘러보았다. "난 이만 가보겠네. 붕괴로 죽는 거랑 불에 타죽는 것 중에 원하는 거 하나 골라서 신께 기도해 보게. 운이 좋다면 동시에 일어날지도 모르지. 아, 로즈골드에겐 자네 안부를 전해주겠소." 그는 실실 웃으며 집을 빠져나갔다. "아아, 흑사병도 이렇게 종식을 하는 것이오."

집 한 채가 불타고 있는 상황에서도 난 이미 너무 많은 피를 흘린 탓에 다리에 힘이 들어가지 않아 도저히 도망갈 수기 없었다. 그럼에도 불구하고 집을 빠져나간다 해도 아직 문 앞에서 기다리고 있는 아덴타가 날 가만히 내비 둘 리가 만무했다.

〖 너 이제 죽는다. 〗 장발이 옆에서 속삭였다.

"알아."

〖 이왕 죽는 거 같이 죽는 게 어때? 저기에 아덴타가 던져둔 목도리가 있거든. 〗

난 바로 그의 말을 이해했다. 뚝뚝 떨어지는 피와 함께 거실로 달려가 그의 목도리를 주웠다. 아덴타는 아직 현관을 나서지 않았고, 시가를 꺼내 집을 태우는 화염으로 불을 붙이고 있었다. 그를 향한 분노는 이미 쌓일 대로 쌓여있었다.

몸에 남은 온 힘을 동원해 그를 습격하자, 그가 짧게 비명을 질렀다. 뒤에서 최대한 넓게 펼친 목도리로 그의 얼굴과 목을 감싸고 손으로 그 뒤를 잡아 힘을 주어 고정시켰다. 그가 물고 있던 시가에 붙은 불이 목도리에 옮겨 붙으며 아덴타의 얼굴 전체가, 그의 목도리와 함께 불에 타들어갔다. 언젠가부터 그는, 비명조차 지르지 않았다.

〖 너도 죽어! 〗 장발도 함께 불붙은 목도리를 쥐고 아덴타가 벗어나지 못하게 버텼다.

그의 목엔 핏줄이 돋았다.

난 그렇게 잔뜩 당황해하는 그를 끌고 집 안 깊숙이 끌고 갔다. 아덴타를 지하실에 처넣고 문을 닫아 가둘 생각이었다. 아덴타는 얼굴이 타들어가는 고통 속에서도 팔을 허공에 휘저으며 저항

할 뿐이었다.

"지옥에 가서 불에 타 죽는 것을 묘사해보던가."

그는 여전히 불붙은 얼굴로 소리를 지르며 온몸을 흔들었다.

쾅!

지하실까지 정말 몇 걸음 안 남았을 때, 건물 붕괴가 시작되었
다. 천장이 꺼지며 아덴타를 깔아뭉갰다. 그의 복부가 끔찍하게 터
져버린 것을 보자 곧바로 그를 내팽개치고 내 머리 위로 떨어지는
2차 붕괴를 피해 지하실로 몸을 던졌지만 그 때문에 입구가 단단
히 막혀 꼼짝없이 갇혀버리게 된 것이었다. 지하실 천장은 잔해의
무게를 이기지 못해 금방이라도 무너질 것 같은 기세였다.

쾅!

또다시 들리는 건물의 연이은 붕괴소리에 살고 싶다는 본능이
앞섰지만 이미 지하실에 꼼짝없이 갇혀 손 쓸 도리가 없었다. 허리
를 살짝 돌리기도 버거운 그 좁은 공간에서 장발은 위로부터 내게
로 쏟아지는 잔해를 등으로 막아서며 나를 보호했다. 매캐한 연기
가 숨쉬기 힘들게 했다.

좁아터진 지하실 내부에 불이 붙었고 곧이어 활활 타오르기 시
작했다.

"너도 갇혔구나. 넌 왜 도망가지 않은 건지…."

장발, 그는 울기 직전이었다.

"그래서 갇혔어." 요동치던 심장이 점점 식어가는 것을 느꼈다.

"너도, 나도."

〚어차피 못 나가. 우리 둘 다 죽은 거라고 했잖아.〛 장발이 떨리는 목소리로 말했다. 〚수고했어, 정말.〛

살아나가기는 불가능하다는 것을 직감한 어투였다. 나는 그저 할 말 없이 고개만 떨궜다.

"수고는 됐어. 한 것도 없는데."

〚기억을 잃었다지만 너무 다른 사람이 되어있어서 놀랐어. 다니엘.〛 장발의 목소리는 분명했다. 〚솔직히 말해서 솔즈베리 참사의 유일한 생존자는 나지만, 너라고 하는 게 더 맞는 듯 해. 난 겨우 살아 나와서는 더 이상 미래를 살아가는 것을 포기했으니까. 옛날이 그리운 걸 감당하지 못한 거야.〛

장발은 말을 하는 도중에도 연신 기침을 해댔다.

"…."

이제야 알게 된 것인가? 알 수 없는 환각은 그리움 속에 스스로를 가둔 나 자신이었던 것. 장발, 그는 솔즈베리 참사를 겪었던 나였다. 그리고 무책임하게 내게 미래를 떠맡긴 '기억의 날' 이전의 나였다.

〚이사벨과 함께하던 그때가 너무 좋았지. 돌아갈 수 없다는 걸 알았을 땐 절망적이었어.〛 그가 말했다.

솔즈베리에서 한참 먼 런던으로 도망쳐와 '런던의 클로드'라는 가명을 사용하여 '솔즈베리의 다니엘'을 완전히 지워버리려 했던 것이 그것을 뒷받침했다. 충격적이고도 쓸쓸한 충격에 목소리가 나오지 않았다.

그때, 건물 잔해가 무수히 많이 밀려 내려오면서 장발의 왼팔을 완전히 뭉개버렸다. 보이지 않는 검은 피가 튀겼다. 그럼에도 장발은 아파하는 기색 하나 없이 그 고통을 버텼다. 어쩌면 그는 나라는 환각이니까 고통을 느끼지 못하는 걸지도 모른다. 애초에 이 공간엔 나 혼자 있는 거나 다름없으니까.

무너진 잔해에 의해 공간은 더할 나위 없이 좁아져 엄청난 답답함을 자아냈다. 불이 활활 타오르는 소리가 전해주는 불안은 말할 것도 없었다.

『시간이 지나며 많은 것이 바뀌지만 난 그걸 원하지 않았어. 갑작스러운 사고로 일상이 무너졌고 눈앞이 깜깜했어. 모든 것을… 잃었거든.』 그가 말했다.

장발, 즉 과거의 나의 심정을 이해하자 머릿속을 가득 매운 혼란이 비로소 깊은 울림으로 다가왔다.

『그래서 네게 내 미래를 맡기고 난 현실을 살기를 거부한 거야. 솔즈베리 참사는 네가 겪었다고 믿었어.』

"서리 씨는 과거에 미련을 두지 말라고 했어. 가치가 없다는 게 그 이유였는데," 팔에서는 피가 계속 흘렀다. "아무리 봐도 가치가 없지는 않아."

장발에게 전한 마지막 말이었고, 동시에 내 실수를 후회하는 혼잣말이었다. 나는 어쩌면 내게서 잊힌 기억 중 스스로에게 가장 큰 영향을 끼친 사람이 아니었는가.

『네가 본 나라는 환각, 네가 잊은 기억 중 가장 강렬했던 건 자기 자신이었다는 것…. 결국은 새사람이 되는 것 불가능했던가 봐.』

그렇게 과거를 잊고 살아보니 정말 행복했는가. 혹은 과거를 잊지 않았다면, 꿈꾸던 대로 행복했을까. 아니, 애초에 너와 나, 우리라는 공동체가 영원히 깨지지 않을 순 없는 건가. 솔즈베리 참사

이후로 행복했던 날들은 몇 안 되는 것이 사실이다. 있어도 새로 만든 인간관계, 그 속에서 느끼는 새로움의 설렘이었고 그마저도 위태롭게 흔들리는 것들이었다.

❙그래도 이사벨은 잊지 마.❙ 죽어가는 장발이 말했다.

나는 곧 허리를 숙인 채 등으로 무너지려는 잔해를 받들고 있는 나 자신을 보았다. 왼팔은 잔해에 깔려서 뭉개진 채 감각이 사라진 지 오래였다. 나 스스로가 잔해로부터 나를 보호하던 장발의 모습 그대로였다. 장발은 온 데 간 데 보이지 않았다. 장발은 죽었다. 그러니까, 망할 정신질환이 사라진 것이다.

다른 누군가가 나를 구하러 올 것이라는 비현실적이고 헛된 기대는 생각도 않았다. 밀폐된 좁은 공간 안에서 진동하는 피 냄새가 코를 찔렀다.

곧 연이은 충격이 몰고 온 흙먼지와 잔해들이 안 그래도 좁아 터진 이 공간을 꽉 채우자 폐로 들어오는 텁텁한 연기가 기도를 막았다. 뜨거운 열기가 온몸으로 느껴졌다. 갈수록 답답함이 몰려왔다. 피가 너무 많이 흘렀다. 몸에 난 상처와 온갖 구멍에서는 전부 기름과 피가 흐르고 있었다.

숨이 가빠지고 시야의 초점이 안 맞을 정도로 어지러웠다. 내 뱉는 숨결은 불보다 뜨거웠다.

모든 것을 깨닫고야 비로소 내가 되었다. 이제 모든 걸 받아들일 때가 온 거야. 등으로 떠받치는 잔해와 오른팔의 피부에 맞닿는 온기가 적당히 따뜻해진 것이 벌써 추운 겨울이 지나가고 봄이 온 듯하다.

새벽의 편린은 눈밭을 더럽히나, 어린 날의 추억은 눈처럼 내려

다시 그 눈밭을 덮는다. 그리고 결국은 청신한 그 눈밭이 녹으며 봄이 온다. 결국 마지막으로 보는 것은 새하얗고 깨끗한 것이다. 그리고는 혼자 되뇐다, 나쁘지 않았어.

빈트 씨가 깔아 둔 이불에 불이 옮겨 붙었고, 한 치 앞이 보이지 않는 흙먼지에 눈앞은 어두워져만 갔다. 가슴 밑으로는 이미 감각이 사라진지 오래였다.

우울했지만, …나쁘지 않았어.

이제야 맘 편히 눈을 감는다.

1884년 3월 18일은 누군가에겐 그의 인생을 뒤바꾼 최악의 날이었다.

잉글랜드 남부에 위치한 도시, 솔즈베리에서 큰 규모의 화재로 인해 많은 사람들이 목숨을 잃는 참사가 발생했다. 유일하게 살아남은 다니엘이라는 사내(그는 성실한 시계공이었다.)는 2개월간 병원에서 치료를 받다가 탈출하여 실종되었다. 많은 사람들은 추측했다, 사고 이후로 심한 정신병을 같이 앓던 그가 자살해 버린 것이라고.

그러나 그는 사람들의 일반적인 추측과는 다르게 반쯤 미쳐버린 채 3개월간 떠돌이생활을 이어오며 조금씩, 자신도 모르게 런던으로 발을 옮겨 그곳에서 새로운 생활을 이어나갔다. 이따금 솔즈베리에서 그를 애타게 부르는 추억들은 그를 정신적으로 피폐하게 만들었으며, 시계공으로 일하고 있던 그는 결국 시계가 아닌 시간을 고치고 싶다는 망상을 하기에 이르렀다. 불가능을 알면서도, 그 마음이 간절했었을 뿐이었다. 그는 간절하다면 시간까지 고칠 수 있다는 사실은 알고 있었으나, 그것이 정신병이고, 본인의 망상이라는 것은 알지 못했다.

과거와 그리움에 사로잡혀 제대로 된 일상을 살 수 없게 되자, 그는 자신을 과거에 두고 현재에 남겨진 상처투성이 본인을 클로드라고 믿는다. 스스로를 부정한 그는 정신병자였고, 미치광이였다.

그때로 돌아갈 수 없다는 걸 알면서도, 이렇게까지 해가며 변화를 받아들이지 않으려 했던 것이었다.

그렇게 과거에만 머무르며 다니엘 대신 현실을 살아갈 클로드는 긴 머리칼을 잘라 이전의 모습을 지우고 기억에 얽매이지 않으려 스스로 기억을 전부 잊는다.

이것은 다니엘이 그토록 숨기고 싶어 했던 부끄러운 과거였으며, 지나간 일에 지나치게 집착하는 그의 내면을 꾸밈없이 드러내는 일이었다.

솔즈베리엔 이미 많은 것이 사라져있었고, 다니엘에게 솔즈베리는 더 이상 그 시절 그곳이 아니었다. 클로드는, 어쩌면 선택지 없이 방황하던 다니엘이 정말 어쩔 수 없이 선택한 최후의 결말이었으리라.

런던 사람들은 입을 모아 그를 가끔 미친 사람인 줄 알았다고 말했다.

킹스크로스역에서 경비를 서던 애런 씨는 1887년 9월 말, 봉쇄된 기차역에 침입했다 발각된 그가 벌금이 30파운드라는 것을 듣고도 60파운드를 건넸다고 말했으며, 클로드가 미쳤거나, 수를 셀 줄 모르는 멍청이일 것이라 덧붙였다.

또한 본인을 예술가라 칭하는 루이스 씨는 그가 무뚝뚝하다가 갑자기 폭력적으로 돌변하는 급발진장애가 있다고 주장했다.

그들이 무엇을 본 건지는 확실치 않지만, 클로드가 정신적으로 정상인 것이 아닌 것은 분명했다. 환상이라도 보는 듯 허공에 대고 혼잣말을 했었다는 증언도 부지기수니까.

*

로즈는 그곳에서 다니엘의 사망소식을 접할 수 있었다. 흑향기의 교주가 죽은 그 사건은 런던뿐만 아니라 영국 대부분의 지역을 떠들썩하게 만들기에 충분히 자극적이었으니까.

수개월 전, 로즈를 불쑥 찾아온 다니엘이 그녀에게 전했던 소식은 가히 충격적이었다. 사이비 흑향기를 언급하며 그들이 본인을 죽이려 들 거라는 그의 통보에 로즈는 황급히 그의 말대로 도버로 떠나지 않으면 안 되었다. 평소와 다른 모습의 다니엘이었던지라 로즈는 마음 한구석에서 꺼림칙함을 느꼈지만, 다니엘을 신뢰하던 로즈였기에 그의 말을 믿고 런던을 떠난 것이었다.

다니엘이 숨을 거둔 이 사건은 흑향기로 고통받던 런던 시민들을 비롯한 여러 사람들의 입을 타며 곳곳에 알려지게 되었고, 대부분의 공은 살아남은 빈트에게 돌아갔다.

영국정부 또한 이번 사건을 계기로 흑향기 토벌에 적극 나섰다. 그 결과로 헨리 사브리나를 포함한 여러 흑향기 신도들이 체포되어 더러는 종신형을 받고, 그중에서도 수많은 흉악범들은 대거 처형되었다.

그렇게 사람들은 군인들의 감시 없는 자정을 맞이할 수 있게 되었고, 또한 로즈가 런던으로 돌아가는 계기가 되었다. 범죄와 약이 판을 치던 불과 몇 년 전의 런던과는 완전히 다른 새로운 모습이었고, 이를 한 명에 의한 혁명이라 부르더라도 부족함이 없었다.

다니엘의 묘는 솔즈베리의 인적이 드문 어느 언덕에 세워졌다. 커다란 화재 속 지하실에서 잔해와 흙먼지, 그리고 온갖 재를 안고 죽음을 맞이했던 터라 그 유골을 찾는 데는 큰 어려움이 따랐고,

그의 조각난 두개골 일부를 제외한 모든 유골들은 아직도 발견되지 않았다. 또한 발견된 유골마저 공식적으로 표본이 부족해 다니엘의 것이라는 확신도 없었다. 그러나 로즈를 비롯한 극소수의 그의 시인늘은 그것이 다니엘의 유골임을 알고 있었다.

"말도 없이 가서 미안해. 살기 위해선 어쩔 수 없었어." 솔즈베리에 방문한 로즈가 다니엘의 묘 앞에서 중얼거린다.

로즈는 목숨을 위협받던 그날, 다니엘에게 미처 말을 전하지 못했던 것이었다. 그리고 그녀는 도망쳐온 그곳에서 매일을 죄책감과 걱정에 시달려야만 했었다.

다니엘의 묘에는 묘비명은 물론 그의 출생 연도마저 표기되지 않아 허전함과 처연함이 맴돈다.

「다니엘 하르헨 아나리스」
「? ~ 1891」

물음표로 대신 표기된 그의 출생 연도에서 로즈는 흐릿하지만 알 수 없는 곳에서 나타나 세상을 구하고 홀연히 사라진 하나의 영웅을 마주한다. 다니엘이 세상을 구하진 않았지만 흑향기가 해체되는 데에 큰 영향을 미쳤으니 그에게 영웅이 어울리지 않는 호칭은 아니었다고, 그녀는 생각했다.

"빈트 씨가 고맙다고 전해달래. 그에게 생명의 은인이 되어주었다며? 엊그제 병원에서 그를 만나고 왔거든. 다리가 하나 없었지만 나름 멀쩡한 것 같더라. 다음 주에 런던여행을 끝마치고 고향으로 돌아간대. 런던에 온 걸 후회하냐는 네 질문엔, 아니라고 하더라."

로즈는 빈트가 건네줬던 백파이프를 꺼내 다니엘의 묘 앞에 살포시 내려둔다. 빈트가 크리스마스이브에 그와 함께 밤을 새우며 불었던 그 백파이프였다.

"네 장례식은 곧 이곳에서 진행되는 모양이야. 어제 못 보던 세 명이 네 집 현관문 앞에서 편지를 끼워 넣으며 그렇게 중얼거렸거든."

잠시 서있던 로즈는 챙겨 온 작은 화분을 꺼내든다.

"하나는 네 슬픈 추억을 담은 꽃이야." 로즈는 화분에서 얼굴을 내밀고 있는 얼음새꽃 두 송이 중 한 송이를 다니엘의 묘비 옆에 옮겨 심는다. "슬프지만 가치가 있어. 날 기억하길 바라."

아주 오래전 일이었지만, 로즈는 아도니스에서 다니엘과 얼음새꽃을 봤던 것을 잊지 않았던 것이었다. 그리고 그것에 그를 추모하는 의미를 부여했다. 덕분에 로즈는 다시 한번 그를 기억할 수 있다.

"그리고 나머지는 영원한 행복을 비는 꽃…." 마지막 슬픔 서린 꽃이 심어지자 그 위로 로즈의 눈물이 흘러 떨어지는 투박한 비처럼 내려와 두 꽃을 천천히 적신다.

붉게 피어오른 저녁노을은 작은 노란 꽃들을 주홍빛으로 비춘다. 묘지만이 우두커니 자리를 지키는 언덕 아래로 솔즈베리의 푸른 대지가 펼쳐져 경관을 자아낸다.

*

힘들었던 그의 새 삶이 3년 만에 막을 내렸다. 다니엘은 결국 고향으로 돌아갔다. 모든 기억이 되돌아왔고, 다시 그날처럼 좋은 일상을 보내고 싶어 했다. 솔즈베리의 모든 기억들을 품고 있던 다니엘의 집은 그가 솔즈베리를 떠날 당시 그대로 보존되어 있다.

다니엘은 어둡고 조용한 옛집에 들어서자마자 안도감과 과로로 인해 곧바로 침대에 엎어지더니 쓰러지듯 잠에 든다. …그러나 그는, 이미 이 세상 사람이 아니었다. 그것은 죽어서도 과거를 잊지 못한 그의 마지막 환영이자, 못다 이룬 소망이리라.

차가운 기운이 드리워진 그의 어두운 방에서 기절하듯 휴식을 취하는 다니엘의 환영의 입가에 행복한 미소가 점차 번진다. 팔 하나도 들기 버거웠지만 지금은 팔을 들 필요가 없었다. 죽음이란 것이 이렇게 편할 줄이야. 이제 시간이 조금 흐르면 자신이란 존재도 완전히 사라지리라, 그는 알고 있었다.

이미 너무 지쳐있진 않았는가. 변하지 않는 일상의 평범함이 가져다주는 따뜻함과 포근함을 끊임없이 갈구하고 있진 않았는가. 기약 없는 것들을 무작정 기다려서야 뭐하겠냐마는, 때때로 바람이 푸른 어떤 것들을 실어올 때면 그 시간을 장식해온 찬란한 것들이 생각나는 것은 어쩔 수 없는 일이다.

작은 전등만이 고요히 비추는 고즈넉한 그의 집에선 시절 장발을 엿볼 수 있었다. 런던으로 오기 전, 그는 변화를 지나치게 두려워했을 뿐, 필히 행복한 사람이었으리라.

본인을 클로드로 칭한 그 순간부터, 클로드 이전의 다니엘은 더 이상 미래를 걱정하고 과거를 그리워 할 필요가 없었다. 본인이 그 속에서 살고 있다고 굳게 믿었으니까. 그러나 그런 그에게 미래라는 것이 있었겠는가. 그것이 정말로 행복을 유지하는 최선이었겠는가.

장발, 즉 다니엘은 클로드가 되어버린 자기 자신을 찾아온다.

그러나 장발은 커다란 상처를 떠안은 채로 이미 현실에서 자신을 지워버린 후였고, 어떠한 존재도 아니게 된 장발은 혼란스러움을 감추지 못한다. 이미 그는 자기 자신을 잃어버린 것이었다.

그리움이란 것, 그 자체는 삶의 이유였으니, 이를테면 애달프고 어두운 겨울의 밤하늘을 수놓는 눈송이라.